S

Nous remercions le ministère du Patrimoine canadien,
la SODEC et le Conseil des Arts du Canada
de l'aide accordée à notre programme de publication

ainsi que le Gouvernement du Québec
– Programme de crédit d'impôt
pour l'édition de livres
– Gestion SODEC.

Nous reconnaissons l'aide financière
du Gouvernement du Canada
par l'entremise du Programme d'aide au développement
de l'industrie de l'édition (PADIÉ) pour ce projet.

Illustration de la couverture:
William Hamiau

Couverture:
Conception Grafikar

Édition électronique:
Infographie DN

Dépôt légal: 2e trimestre 2006
Bibliothèque nationale du Canada
Bibliothèque nationale du Québec

234567890 IML 09876

STORINE, L'ORPHELINE DES ÉTOILES

VOLUME 7

Le secret des prophètes

DU MÊME AUTEUR
AUX ÉDITIONS PIERRE TISSEYRE

Collection Chacal

Storine, l'orpheline des étoiles, volume 1 :
Le lion blanc (2002).

Storine, l'orpheline des étoiles, volume 2 :
Les marécages de l'âme (2003).

Storine, l'orpheline des étoiles, volume 3 :
Le maître des frayeurs (2004).

Storine, l'orpheline des étoiles, volume 4 :
Les naufragés d'Illophène (2004).

Storine, l'orpheline des étoiles, volume 5 :
La planète du savoir (2005).

Storine, l'orpheline des étoiles, volume 6 :
Le triangle d'Ébraïs (2005).

Collection Papillon

Éolia 1 : *Le garçon qui n'existait plus* (2006).

Éolia 2 : *La forêt invisible* (2006).

Éolia 3 : *Le prince de la musique* (2006).

**Catalogage avant publication
de Bibliothèque et Archives Canada**

D'Anterny, Fredrick, 1967-

    Le secret des prophètes

    (Collection Chacal, n° 38)
    (Storine, l'orpheline des étoiles, v. 7)
    Pour les jeunes de 12 ans et plus.

    ISBN 2-89051-980-5

    I. Hamiau, William   II. Titre   III. Collection
    IV. Collection : D'Anterny, Fredrick, 1967- .
    Storine, l'orpheline des étoiles ; v. 7.

PS8557.A576S42 2006   jC843'.54   C2006-940517-4
PS9557.A576S42 2006

STORINE, L'ORPHELINE DES ÉTOILES

VOLUME 7
Le secret des prophètes

Fredrick D'Anterny

Roman

ÉDITIONS PIERRE TISSEYRE

5757, rue Cypihot, Saint-Laurent (Québec) H4S 1R3
Téléphone: (514) 334-2690 – Télécopieur: (514) 334-8395
Courriel: ed.tisseyre@erpi.com

Résumé du volume 1 :
Le lion blanc

Storine, onze ans et demi, est arrachée à sa famille par un agent secret à la solde du gouvernement impérial. Accompagnée par Griffo, son jeune lion blanc, elle se retrouve esclave à bord du *Grand Centaure,* le vaisseau amiral de Marsor, un pirate recherché par toutes les polices de l'empire.

Lorsque Marsor, bouleversant toutes les lois de la piraterie, en fait sa fille adoptive, de nombreuses rumeurs prétendent que l'enfant, annoncée par les prophéties d'Étyss Nostruss, est promise à une fabuleuse destinée. Initiée au maniement du sabre ainsi qu'au pilotage, Storine voyage de longs mois dans l'espace en compagnie de Griffo et de son père adoptif. Malheureusement, la flotte pirate est attaquée par l'armée impériale aux abords de la planète Phobia, et Storine doit fuir le *Grand Centaure* en perdition.

Résumé du volume 2 :
Les marécages de l'âme

Après un atterrissage forcé sur Phobia, Storine, Griffo et Eldride, leur amie, sont capturés par Caltéis, un marchand d'esclaves. S'échappant du château de lave afin de retrouver Griffo qui erre au milieu des orages de feu, Storine fait la connaissance de Solarion, un garçon mystérieux en quête du Marécage de l'Âme, cet endroit mythique où Vina, la déesse mère, donne l'oracle aux voyageurs.

L'armée impériale, qui n'arrive pas à vaincre la résistance des princes phobiens, décide de faire sauter la capitale alors que Solarion, séparé de Storine, cherche en vain à la retrouver.

Sauvée grâce à l'intervention du dieu Vinor qui l'a prise sous sa protection, la fillette parvient à fuir la planète, sans savoir que Solarion, dont elle est secrètement tombée amoureuse, n'est nul autre que l'héritier du trône impérial.

Résumé du volume 3 :
Le maître des frayeurs

Les jours puis les mois s'écoulent dans l'angoisse à bord de l'*Érauliane*, le vaisseau aux voiles d'or qui emporte Storine, Griffo et une douzaine d'anciens esclaves. Après avoir échappé à un contrôle de l'armée impériale, Ekal Doum, l'armateur, leur annonce qu'un virus inconnu s'est répandu à bord. Un à un, les compagnons de Storine meurent dans d'effroyables souffrances.

Forcée d'accompagner Doum sur sa planète natale, la jeune fille découvre la cité d'Yrex 3 ainsi que le surf mental. Alors qu'elle croit pouvoir repartir à la recherche de son père, l'armateur, qu'elle prenait pour un homme d'honneur, lui fait subir un pénible chantage : soit elle utilise ses pouvoirs psychiques pour l'aider dans ses sombres projets, soit elle perd Griffo, dont l'âme est retenue en otage par deux créatures à la solde de Doum.

Aidée par un mystérieux maître missionnaire qui lui révèle qu'elle est l'Élue des dieux, Storine, qui n'a pas pu empêcher Doum de fuir la planète en emmenant Griffo, décide de le poursuivre à bord du *Mirlira II* afin de récupérer son lion blanc...

Résumé du volume 4 :
Les naufragés d'Illophène

À bord du *Mirlira II*, l'immense paquebot spatial, Storine et ses amis essayent de faire arrêter Doum par le commandant de bord.

D'étoiles en planètes mystérieuses, Storine tente de contacter Griffo par télépathie. Sans succès. Le lion blanc, dont l'âme est retenue en otage par deux korks, semble être devenu le jouet de Doum, qui l'exhibe pour amuser les passagers.

Tout bascule quand maître Santus apprend à la jeune fille qu'elle est l'Élue de Vinor, et que sa venue est annoncée par les prophéties d'Étyss Nostruss. Nullement ébranlée par cette révélation, Storine ne veut qu'une chose : retrouver Griffo et punir Ekal Doum.

C'est alors que le luxueux paquebot dérive dans les terribles champs d'attraction de la mer d'Illophène. Dans la cohue et la panique, Storine se bat pour récupérer Griffo. Alors que le paquebot, écartelé de toute part, est sur le point de s'écraser sur des météorites, Storine retrouve le garçon qui n'a cessé de la suivre et qui se révèle être Solarion, qu'elle a connu sur la planète Phobia. Aidés par *Le Livre de Vina* qui renferme les psaumes sacrés des anciens sages d'Éphronia, Storine et Solarion décident de faire appel aux dieux, qui les sauvent de la catastrophe.

Séparée de Solarion, Storine n'espère qu'une chose : le retrouver sur la planète Delax, comme l'a promis maître Santus !

Résumé du volume 5:
La planète du savoir

Devenue élève du célèbre collège impérial de Hauzarex, Storine n'est pas heureuse. Ses compagnons de classe l'ignorent ou la rejettent, Griffo vit dans le parc d'animaux sauvages avoisinant les terres du collège et maître Santus, devenu un de ses principaux professeurs, lui a menti au sujet de Solarion.

Quand elle apprend que le prince impérial vient étudier au collège, Storine est au comble de la colère. Décidée de se venger de celui qui a fait tant de torts à son père, elle s'introduit dans ses appartements... pour réaliser que son pire ennemi et celui qu'elle aime depuis si longtemps ne font qu'un!

Mais comment, lorsqu'on a quinze ans et demi, dire «Je t'aime» à un prince impérial, surtout quand on est la fille d'un célèbre criminel? En découvrant le Mur du Destin et les fresques peintes par les dieux, Storine et Solarion trouvent enfin le courage de s'aimer au grand jour, malgré la grande duchesse Anastara et ses gardes noirs.

Storine et Solarion sont enfin prêts à se fiancer officiellement lorsque survient le drame: propulsée par la perfidie de la grande duchesse dans le triangle d'Ébraïs, Storine et Griffo se retrouvent perdus dans une dimension parallèle…

Résumé du volume 6 :
Le triangle d'Ébraïs

Guidée par la déesse Vina, Storine atterrit sur la planète fantôme d'Ébraïs, où elle se retrouve mêlée à une guerre sans merci entre deux peuples : les Cristalotes, une race minérale, et les Totonites, des robots doués d'une intelligence supérieure. Annoncée par les prophéties comme étant celle qui doit réunir les cinq pierres de la divination, Storine n'a d'autres choix, si elle veut regagner son univers, que de se rendre dans le grand temple de cristal de la déesse.

De retour dans l'espace normal, Storine, Éridess et Griffo sont téléportés à l'intérieur du *Grand Centaure*, encerclé par l'armée impériale bien décidée à en finir avec Marsor le pirate. Le père et la fille se retrouvent enfin. Mais très vite, les événements tournent à l'avantage de la grande duchesse Anastara. Storine est désespérée, car Solarion, qui a appris que Marsor était son père, la répudie.

 11

Utilisant le pouvoir de la troisième formule de Vina, Storine et Griffo parviennent à s'échapper de la flotte impériale à bord d'une petite navette affrétée en secret par le commandor Sériac. Inconsolable d'avoir perdu à jamais l'amour du prince, Storine se rassure, car la déesse, qui lui a donné rendez-vous sur le rocher d'Argonir, a promis d'importantes révélations sur ses missions à venir…

«Lorsque des entrailles du monstre de glace surgira la Lionne blanche aux crocs acérés, tremblez, conspirateurs, car votre étoile pâlira à son approche pour s'éteindre et mourir sous son glaive de feu.»

Extrait de
«La Venue de la Lionne blanche»,
troisième épître des prophéties
d'Étyss Nostruss.

1

Les neiges rouges

Archipel spatial d'Argonir,
troisième rocher.

Storine remonta le col de sa longue cape
vert émeraude et grimaça en constatant que
les deux hommes qui la suivaient depuis
qu'elle avait franchi les remparts de la petite
cité d'Argonia étaient toujours sur ses talons.
Dans les ruelles sordides, la fête battait son
plein. Une foule excitée prise de boisson dan-
sait au son de cors aigrelets en poussant des
cris de joie mêlés à des sanglots de carnaval,
sous une neige froide qui tombait drue sur les
épaules et les visages. Storine fixa le plafond
bas des nuages couleur de sang. Chaque
année, au solstice d'hiver, avait lieu la fête de
Cyrgulem. Par delà les toits couverts de glace,
la lumière s'irisait sous les rayons du soleil

rouge. En tombant, les cristaux de neige jouaient avec cette lumière écarlate et donnaient l'illusion de cette célèbre neige rouge dont les habitants d'Argonia se montraient si fiers.

« On se demande bien pourquoi ! »

Storine se baissa pour prendre dans sa main une motte de neige qu'elle serra entre ses doigts jusqu'à l'écraser complètement. Pendant quelques secondes, elle laissa le froid pénétrer tout au fond de son ventre et de son cœur.

« Pour m'empêcher d'exploser… »

Puis, sans s'occuper de cette humanité livrée à la licence de la fête, elle frissonna. Les hommes qui l'avaient prise en filature étaient-ils deux ou bien quatre ? Elle n'aurait su le dire avec exactitude tant les gens se pressaient les uns contre les autres, pour se réchauffer peut-être ou pour chercher, l'espace de quelques instants furtifs, un peu de réconfort dans un geste, un sourire ou un regard. Tant de peine et de colère s'entrechoquaient dans le cœur de la jeune fille que, tout en jouant des coudes pour se frayer un passage, elle refusait même d'y penser.

Comment appelait-on les six autres rochers composant l'archipel d'Argonir ?

Argolanus, Argocity (la métropole), Argolite ; quoi d'autre, encore ? Storine tenta de se rappeler le rapport holographique qu'elle avait lu à bord de sa navette spatiale, juste avant de trouver, après des heures de recherche, l'endroit idéal pour atterrir sans susciter l'attention des autorités argoniennes.

L'archipel d'Argonir. Sept immenses rochers gravitant les uns autour des autres dans l'espace, emprisonnés pour l'éternité dans une ronde sans fin autour de Belta, leur étoile rouge – « Encore une autre ! » songea Storine – située à la périphérie de l'Empire d'Ésotéria. Bousculée, elle contempla quelques instants les gros flocons de neige qui tombaient, indifférents à la liesse populaire qui célébrait… quoi ? « La fin de l'hiver. » Elle se rappela que l'esprit de la fête des neiges rouges de Cyrgulem était erroné, puisque à cause, notamment, de l'inclinaison de l'énorme rocher sur son axe et de son atmosphère artificielle, l'hiver était ici l'unique saison et ne finissait pour ainsi dire jamais.

« Pathétique ! »

Les flocons s'égrenaient, épais et onctueux comme de la crème, mais ils étaient aussitôt foulés aux pieds et transformés en boue par la foule. Storine observa cette bouillie noirâtre qui lui montait jusqu'aux chevilles. Victime d'une crise subite d'agoraphobie, elle s'adossa contre un mur de pierre sale et tenta d'empêcher ses mains de trembler.

« Respire. Calme-toi. Par les cornes du Grand Centaure, ressaisis-toi ! »

Mais cette expression, qui lui était jadis si familière, lui causa plus de peine que de réconfort. Car le *Grand Centaure,* le vaisseau mythique de Marsor le pirate, avait été détruit. À cause d'elle. De sa propre main. Et Marsor lui-même, son père, était mort par sa faute.

Un groupe de musiciens, le visage grimé ou portant des masques grotesques, passa devant elle en s'égosillant dans les satanés cors qui ressemblaient à d'énormes cornes de gronovore pointées vers le ciel.

Comme ses mains ne cessaient de trembler, Storine se demanda si elle n'avait pas pris froid en atterrissant. Était-il possible qu'elle ait vraiment développé une phobie des foules ? Elle respira profondément, toussa, éternua puis fronça le nez en songeant à toutes les odeurs que dégageaient ces gens. Un coup d'œil de biais entre les musiciens raviva une fois encore sa colère. Les deux hommes étaient toujours là. Impassibles dans leurs grands manteaux noirs alors que les Argoniens, fidèles à la tradition de Cyrgulem, étaient aujourd'hui exclusivement vêtus de tuniques, de masques et de capes rouges. Même leurs cheveux étaient teints de cette couleur !

Pour la première fois, Storine sentit l'hostilité des regards peser sur elle. « Comme je porte une cape verte, ils pensent peut-être que je me moque de leurs traditions ! »

Une fillette trébucha puis roula aux pieds d'une troupe de danseurs. Un homme, sans doute son père, joua des poings pour la récupérer et pour la serrer tendrement dans ses bras. Un peu plus loin, Storine aperçut deux amoureux qui, ayant ôté leurs masques écarlates, s'embrassaient à pleine bouche en se caressant. Cette scène qui, quelques mois auparavant, l'aurait fait sourire, lui donna envie de dégainer son sabre psychique et de pourfendre ces gens frivoles qu'elle détestait et qui la détestaient. Se contrôlant, elle tourna le coin et se réfugia dans une venelle sombre et déserte.

« Griffo ! »

À bout de forces, elle se laissa glisser au sol et se recroquevilla dans sa longue cape.

Storine et Griffo avaient quitté le croiseur impérial du prince Solarion environ huit semaines auparavant. Tandis que la neige s'accumulait sur la capuche de sa cape et qu'un filet d'eau coulait sur sa nuque, elle se força à revivre en pensée la dernière année stellaire. D'abord, les jours heureux passés sur la planète Delax, au collège de Hauzarex, en compagnie de Solarion. Après un parcours souvent chaotique, ils s'étaient enfin retrouvés. Après quelques maladresses, ils s'étaient avoué leur amour. Ne craignant plus ni dieu ni diable, le jeune prince l'avait même suppliée d'accepter de devenir sa fiancée. Elle, Storine Fendora d'Ectaïr, l'amie des grands lions blancs, l'orpheline pourchassée, devenir une altesse impériale ! Était-ce là sa destinée ? Était-ce ce que souhaitait la déesse Vina, sa protectrice ?

Puis, à la suite d'une cabale menée contre elle par sa rivale Anastara, cousine de Solarion, elle s'était retrouvée sur la sphère fantôme d'Ébraïs. À la pensée du ciel pur et cristallin de Totonia, la cité-robot, elle renifla de chagrin. « C'est en regagnant l'espace normal que tout s'est gâté entre nous… », songea-t-elle.

« Nous », c'était Solarion et elle. Marsor, qui était accouru sur Delax dans l'espoir de la retrouver, s'était fait piéger en orbite par le commandement impérial. Storine, Griffo et Éridess avaient été pris entre l'arbre et l'écorce : entre les impériaux et la flotte pirate.

La neige transformée en eau n'était pas seule à couler sur ses joues. La jeune fille sentait bien qu'évoquer encore et encore ses retrouvailles douloureuses avec Solarion lui brisait le cœur. Mais à quoi cela servait-il de pleurer et de chercher à oublier ? Oublier l'humiliation quand Anastara l'avait exhibée clouée en croix sur un chevalet, presque nue, tel un animal blessé, devant tout l'état-major impérial. Oublier que Solarion n'avait pas levé le petit doigt pour venir à son aide. Oublier qu'il était venu la retrouver dans sa cellule et que, là, dans cette pièce sordide, ils avaient fait l'amour avec passion, avec rage, en sachant bien que leur union était plus que jamais menacée. Oublier la réaction du prince impérial quand il avait appris que Storine était en vérité la fille de Marsor, le pirate ; Marsor, l'ennemi juré. Oublier enfin que ce même Solarion l'avait ensuite rejetée dans l'espace comme une vieille chaussette.

Elle ! Storine ! L'Élue des dieux !

La jeune fille essuya ses larmes blanches d'un revers de la main et sourit, car ses doigts ne tremblaient plus. L'impasse dans laquelle elle avait trouvé refuge sentait les ordures et le moisi mais, au moins, les murs hauts et noirs étaient solides. Elle songea qu'ainsi recroquevillée elle offrait une proie facile aux deux hommes qui la suivaient. Qu'importe ! S'ils faisaient mine d'approcher, aussi vrai qu'elle était la fille de Marsor le pirate, elle leur trancherait la tête d'un coup de sabre.

Elle fit le vide dans son esprit et appela son fidèle lion blanc par télépathie. Après quelques instants de flottement, elle perçut dans ses oreilles le battement de cœur du fauve. Elle sentit la chaleur de son poitrail et celle, vivifiante, du sang qui courait dans ses veines.

« Griffo ! Ne t'inquiète pas, mon bébé. Je vais bien. » Elle frissonna puis toussa. Depuis le matin, la gorge sèche, elle avait froid et chaud en même temps.

Le lion, qui restait aux aguets autour de leur navette spatiale, sourit. Storine imagina ses longs yeux rouges effilés. Elle crut même entendre sa réponse : « Je t'aime, ma petite maîtresse ! Prends soin de toi et n'hésite pas à m'appeler. Je serai toujours près de toi. »

La jeune fille se détendit. Oui, Griffo l'aimait. Depuis toujours. « Voilà ma seule certitude dans la vie », se dit-elle en se laissant aller contre le mur glacé.

« N'oublie pas la raison de ta présence ici. »

Elle se redressa d'un bond. Qui avait prononcé ces mots dans sa tête ? Griffo ? Non, la voix était douce, suave et forte.

« Vina ! » murmura Storine, émue, en se rappelant que durant son long voyage dans l'espace elle avait pu, au cours d'une transe, entrer en contact avec une prêtresse de la déesse.

Cette servante l'attendait ici même, quelque part dans la vieille ville d'Argonia, pour lui faire des révélations sur sa « mission ». Storine se rappela le signe de reconnaissance convenu lors de la transe. Satisfaite et remise de ses émotions, elle décida d'affronter la foule et de trouver l'endroit du rendez-vous.

Elle s'apprêtait à sortir de la venelle quand une demi-douzaine de jeunes gens lui barra le passage. L'un d'eux, un garçon vêtu d'un justaucorps de cuir rouge (« Il se prend pour un Brave de Marsor ! »), portait ses cheveux dressés sur son crâne comme des lames de rasoir. Il la poussa violemment contre l'angle du mur. Déséquilibrée, elle s'effondra dans la neige froide.

En silence, le groupe de voyous se referma sur elle…

— Clameks !

Storine ouvrit de grands yeux ronds. Penché si près de son visage qu'elle pouvait presque sentir l'haleine du garçon sur ses joues, elle ne comprenait pas le geste qu'il venait de lui faire.

— T'as du clameks !

À son ton de voix menaçant, à ses pupilles si blanches qu'on aurait pu le croire aveugle, on voyait que le garçon ne plaisantait pas. Il refit le geste et, cette fois, comme son pouce frottait contre son index et son majeur, elle comprit ce qu'il entendait par ce mot inconnu sans doute issu du dialecte local.

Elle secoua la tête.

— Je n'ai pas d'orex impérial.

Sceptiques, les jeunes se rapprochèrent encore et commencèrent à fouiller dans les plis de sa cape. Elle se rebiffa d'un geste vif. Aussitôt, le garçon aux cheveux en lames de rasoir la prit à la gorge et la souleva de terre.

— Clameks ! Clameks !

En une fraction de seconde, elle jaugea la situation. Malgré les apparences, elle n'était pas vraiment en danger, elle n'éprouvait aucune peur. Derrière le groupe de jeunes elle entrevit, entre les fêtards déambulant à l'extrémité de la ruelle, les deux hommes qui la suivaient. Allaient-ils intervenir ? D'un même regard, elle repéra une des filles du groupe, la plus frêle, celle qui se tenait légèrement en retrait de ses camarades.

Sans même tenter de dégainer son sabre psychique caché dans une des poches de sa cape, elle foudroya le premier garçon des yeux et lui envoya mentalement, dans le cerveau, une infime décharge de glortex – juste assez, en somme, pour lui causer une belle peur. Dans le même instant, le voyou oscilla sur ses jambes. Puis, relâchant sa prise, il se mit à trembler. Une fois encore, la force psychique des fauves, que Storine parvenait à contrôler de mieux en mieux, faisait des miracles.

Elle dévisagea deux autres garçons qui s'apprêtaient à lui sauter dessus : l'un d'eux se mit à saigner du nez, l'autre eut l'impression qu'une main invisible l'étouffait.

— Clameks !

La fille n'avait fait que murmurer. Storine fixa ses pupilles fiévreuses cernées de noir. Elle aussi tremblait, mais cela n'avait rien à voir avec le glortex. Son visage était exsangue, sa peau, presque translucide. Storine aperçut avec horreur le fin réseau de veines bleuâtres qui courait autour de ses yeux.

« La drogue, se dit-elle en repensant à Ekal Doum et à son trafic de stupéfiants. Le désespoir est présent sur toutes les planètes. »

Remplie de compassion pour l'infortunée jeune fille, elle ôta sa capuche, détacha les lacets de sa cape et, à bout de bras, lui offrit son vêtement. Lorsqu'elle vit la lourde chevelure orange de Storine relevée sur sa tête par un magnifique diadème ainsi que son visage brillant de santé, la jeune droguée se crispa et gémit doucement.

Surprise par cette réaction de peur mêlée de jalousie, Storine haussa les épaules et rattacha sa cape sur ses épaules.

— Clameks !

S'habituant à l'intonation de ce mot, elle eut le réflexe de se retourner pour demander à son ami Éridess d'ausculter la malheureuse : « Éri peut la soigner avec son toucher thérapeutique. »

Mais elle réalisa que le jeune Phobien, pour la première fois depuis des années, n'était pas présent à ses côtés.

«À cause de moi!»

— Ta couronne! Donne-nous ta couronne! répéta le chef des voyous qui, vexé comme un cochon cornu de Phobia d'avoir éprouvé un malaise, fit mine de la menacer de nouveau.

Storine souffla sur ses mèches rebelles et le dévisagea sans aménité.

— Tu ne saurais pas quoi en faire! répondit-elle en se concentrant sur cette couronne de lévitation que lui avait offerte son amie Lâane sur la planète Delax.

Agacée par le mur d'incompréhension qui les séparait, et ressentant une certaine appréhension à l'idée de rencontrer la servante de la déesse Vina, elle leur fit signe de s'écarter.

Puis, devant le groupe médusé, mue par le pouvoir de sa couronne de lévitation, elle s'éleva au-dessus du sol et disparut dans le ciel, dans les tourbillons de neige et les ballons rouges échappés des mains des fêtards.

Lorsque, de l'extrémité de l'impasse, les deux hommes en noir virent que leur proie leur échappait, ils se regardèrent, ébahis, avant de sortir de leur manteau un communicateur en forme d'étoile. L'un d'eux parla tandis que l'autre écoutait gravement les ordres transmis par leur supérieur.

« Poursuivez votre filature et, à la première occasion, tuez-la. Brûlez son corps. Qu'il n'en reste rien. »

2

Sherkaya

Griffo s'inquiétait. Depuis leur arrivée sur ce rocher, et bien qu'il ait eu très envie de se dégourdir les pattes, il ne se sentait pas à l'aise. Storine lui avait pourtant expliqué leur situation avant de le laisser seul : « Reste ici. Garde la navette. Au cas où. Tu comprends, mon bébé ! »

Oh ! Personne ne s'était risqué à venir fouiner de trop près. La plaine était vaste et embrumée, et les vents soufflaient trop fort pour que les forces de l'ordre elles-mêmes soient tentées d'effectuer leur ronde quotidienne. La soute de la navette contenait encore une moitié de carcasse de gronovore, et il venait de boire et de manger à satiété.

Non, ce qui l'inquiétait plus que le fait de savoir Storine seule dans la cité, c'était l'état d'esprit de sa petite maîtresse. Sa façon de rester assise sur son siège de pilotage pendant des heures sans lui adresser la parole. Durant son sommeil, elle s'éveillait parfois et se mettait à crier. Ensuite, ne pouvant plus se rendormir, elle serrait les poings et elle pleurait en silence. Griffo sentait bien que cela avait quelque chose à voir avec Solarion. Aussi, quand, une nuit, elle s'était éveillée d'une profonde transe et qu'elle lui avait révélé que la déesse les attendait tous les deux sur un des rochers de l'archipel d'Argonir, il avait cru que son chagrin allait passer. Mais il avait compris, à la tête qu'elle faisait en le laissant seul, que sa peine vivait encore en elle comme un monstre et qu'il allait lui falloir redoubler d'attention et d'efforts pour protéger sa petite maîtresse.

Un dernier détail l'embêtait. Deux hommes vêtus de longs manteaux blancs étaient embusqués à environ deux cents mètres de leur navette. Ils l'observaient à la jumelle et se demandaient sûrement ce qu'il pouvait bien faire, rôdant autour d'une navette spatiale, entrant à l'intérieur par la soute ouverte puis ressortant pour les dévisager, de loin, en secouant sa longue crinière dans laquelle s'accrochaient des mouches de neige couleur de sang.

Énervé de les savoir à couvert et inquiet de ne pas pouvoir «sentir» si Storine, après l'avoir contacté tout à l'heure, était heureuse et en sécurité, il poussa un rugissement terrible qui répandit l'épouvante dans l'âme des deux guetteurs.

Au cours de sa transe dans l'espace, la déesse avait recommandé à Storine de tendre l'oreille. «Écoute, tu entendras mon appel.» C'est pour cette raison qu'elle s'était mêlée aux réjouissances de Cyrgulem. «Une musique touchera ton cœur. Suis-la.» Mais aucun son, et surtout pas ces affreux cors, n'avait suscité en elle la moindre émotion. Sauf l'envie de se boucher les oreilles! La déesse avait parlé d'un second indice qui la fit sourire un peu tristement.

Quand, frissonnante, elle passa devant une taverne aux murs décrépits, elle résolut d'y entrer le temps nécessaire pour se payer quelque chose de chaud et d'épicé; peut-être un vin aux fruits macérés qui lui remettrait l'estomac à la bonne place.

C'est en entrant que l'odeur chaude du cuir – exactement celle des Centauriens de son père – lui sauta au visage. Les narines très sensibles grâce à sa vie sauvage passée en compagnie des lions blancs d'Ectaïr, elle la reconnut aussitôt, même sous celle, plus douceâtre, de l'alcool ou celle, franchement désagréable, de la centaine d'hommes et de femmes rassemblés dans le bouge crasseux.

Une main dans la grande poche intérieure de sa cape, elle serra le manche éteint de son sabre psychique. Quelques losanges d'argon, ce métal rare utilisé comme monnaie sur les planètes éloignées du centre de l'empire, teintèrent contre le manche de l'arme. Malgré la chaleur poisseuse nourrie par de grands feux placés à chaque extrémité de la soupente, elle garda sa capuche sur sa tête.

Par orgueil, elle s'était promis de ne pas se servir de la bague offerte par Solarion avant son départ. « Tu donnes ta bague à scanner et tu peux t'acheter tout ce que tu veux, lui avait dit Éridess. Le montant est automatiquement débité sur un compte que Solarion a ouvert pour toi. »

« Justement ! Je ne veux pas qu'il sache où je suis ni ce que je fais. »

En rendant de mauvaise grâce quelques sourires à ceux qui la dévisageaient, elle mordilla le petit grain de beauté qu'elle avait sous la lèvre inférieure, car, elle s'en doutait bien, ces losanges d'argon avaient été placés dans la navette spatiale à son intention.

Elle se fraya un passage jusqu'au comptoir. Il semblait que beaucoup de fêtards, chassés des rues par le froid et les vents violents, se soient donné rendez-vous dans cette taverne. Elle décida qu'elle pourrait utiliser cet argon pour se payer à manger, même s'il provenait de Solarion, sans pour autant trahir sa promesse.

« Cette odeur précise. Voilà le deuxième indice de la déesse. »

Se pouvait-il, cependant, que cet endroit fût le lieu de rendez-vous choisi par la servante de la déesse ? Des plaisanteries grivoises fusaient de tous côtés, en argonien mais aussi en ésotérien, la langue officielle de l'empire. Sans en avoir l'air, tout en serrant les coudes, la jeune fille jeta un regard circulaire parmi les clients attablés devant leur repas ou leur boisson, jouant à qui rirait le plus fort pour se rendre intéressant. La charpente de l'établissement, où s'entrecroisaient d'épaisses poutres de métal, laissait entrevoir des toits de chaume et de bois, ce qui était surprenant quand on considérait qu'il ne poussait aucun arbre sur le rocher d'Argonia. Les gens de la petite cité avaient beau prétendre que dans les plaines situées en dehors des murs croissaient des arbres magnifiques qu'on ne pouvait pas voir à cause des brumes glaciales, Storine, qui avait survolé le rocher de long en large, n'en croyait pas un mot.

Un regard plus appuyé derrière le troisième rang de têtes échevelées et semées de mouches de neige mit Storine mal à l'aise.

« Ils m'ont retrouvée ! »

En s'envolant de la ruelle, elle avait espéré se débarrasser des deux hommes en noir. Ne sachant toujours pas qui ils étaient ni ce qu'ils lui voulaient, elle résolut de les oublier pour se concentrer uniquement sur la cruche et le bol que le tenancier venait de déposer près d'elle. À la vue de tous ces gens lourdement vêtus pour résister aux intempéries et qui mâchaient bruyamment le ragoût de gronovore, elle songea combien l'amitié fraternelle et le sens de l'humour – même douteux – de son ami Éridess lui manquaient.

Tout en respirant une odeur de viande grillée qui lui fit envie, elle but son vin aux fruits à grandes goulées et se brûla les lèvres. Le liquide répandit du feu dans son corps. Bientôt, son front se couvrit de sueur. Ses voisins immédiats se donnaient des coups de coude en dévisageant ce jeune voyageur vêtu de vert le jour de Cyrgulem.

« Si j'enlève ma capuche et ma cape, je risque d'avoir des ennuis. »

Les femmes, en effet, se faisaient rares et discrètes dans l'assistance.

« Mais où donc est celle que la déesse m'a promise ? »

Soudain, une main rabattit violemment sa capuche sur sa nuque. Le geste était-il le fait d'un de ses voisins soucieux de son bien-être ? Comme la foule, toujours à l'affût du moindre incident intéressant, s'était tue, elle n'eut pas le loisir de s'en enquérir. Sa longue chevelure orange et le vert émeraude de ses yeux quelque peu effilés sur les tempes médusèrent l'assistance. Quelqu'un rota bruyamment. Malgré son état d'extrême fatigue, elle put lire dans les yeux de ces hommes qu'elle n'était plus ni une fillette ni une simple jeune fille, mais une femme. Sur le coup, elle ne sut pas s'il fallait s'en réjouir ou le regretter.

Désignée par la foule hostile comme une vestale à sacrifier sur les marches d'un autel barbare, elle fit ce qu'elle avait toujours fait : affronter seule, courageusement, en serrant dans sa poche le manche éteint de son sabre

 35

psychique. Mais déjà la tête lui tournait et ses jambes se dérobaient sous elle.

« J'ai dû attraper froid en sortant de la navette. Je n'aurais pas dû m'arrêter ici. »

Après quelques secondes de flottement durant lesquelles elle crut que certains hommes pourraient se jeter sur elle, tant l'atmosphère enfumée et irréelle se prêtait à une scène de violence, chacun reprit le cours de sa conversation. Un coup d'œil aux deux espions confirma sa première impression : ces hommes mystérieux semblaient déçus qu'elle n'ait pas été assaillie et mise en pièces. Devant leur déconfiture et pour bien leur montrer qu'elle ne les craignait pas, elle leur offrit son sourire le plus carnassier – celui, froid et inquiétant, d'une lionne blanche prête à fondre sur sa proie.

Elle s'apprêtait à repartir quand un jeune musicien aux doigts gourds de froid, assis dans un coin, fit résonner un drôle d'instrument qui ressemblait vaguement à une flûte traversière. Le son produit, léger et cristallin, s'éleva sous les poutres puis se glissa subrepticement entre les rires pour disparaître sous le feu roulant des conversations.

Storine reconnut aussitôt ce son qui, l'espace d'un instant, l'avait replongée vivante à l'époque où elle vivait avec son père à bord du *Grand Centaure*.

« Père jouait du piano de cristal, et ça ressemblait à ça. »

Pourquoi chaque souvenir la ramenait-il soit à Solarion, soit au *Grand Centaure*? Une furieuse envie de pleurer la prit à la gorge. Mais il ne fallait pas. Étonnée d'être aussi sensible, aussi fragile, elle piqua du nez dans son bol. Ce faisant, elle aperçut, cachée derrière l'énorme dos d'un homme s'esclaffant, une maigre silhouette emmitouflée sous un monceau de lainages aux teintes si délavées qu'il était impossible d'en identifier la couleur d'origine.

« C'est elle », se dit Storine en accrochant son regard à celui de la vieille femme qui semblait flotter dans la fumée, à dix pas du comptoir.

S'étant immédiatement reconnues, elles s'adressèrent un bref mouvement de menton. Soulagée de n'être plus seule, Storine vida le contenu de son bol, laissa sur le comptoir ses derniers losanges d'argon, puis elle demanda où se trouvaient les toilettes.

Croyant que leur chance d'intervenir était venue, les deux hommes en noir lui emboîtèrent le pas. Lorsque, après avoir été retenus par quelques clients ivres, ils surgirent dans la pièce d'aisance, elle était vide.

La neige ne tombait plus qu'en petits flocons. Le jour sombrait lentement sur la cité, par taches de roux, de mauve et de bleu. Le vent avait faibli, ce qui permettait à la neige de se tasser et de se transformer en glace luisante sur les trottoirs et le long des gouttières. La fête de Cyrgulem continuait à battre son plein, mais elle se déplaçait maintenant en direction du centre-ville – si centre-ville il y avait !

La jeune fille était sortie des toilettes de la taverne en se glissant par une lucarne, puis en se laissant choir du toit en douceur grâce à sa précieuse couronne de lévitation. Seule dans une rue latérale, elle attendait, le souffle court, en proie à une exaltation qu'elle sentait monter dans sa poitrine. Comme son haleine se transformait en nuage de vapeur, elle comprit que la température avait chuté de quelques degrés. Elle serra en frissonnant les pans de sa cape contre ses flancs.

« Cette ville est vraiment bizarre. Il y a des remparts et des maisons en pierre avec des toits en chaume, des rues en colimaçon comme dans une vieille cité médiévale et, en même temps, il y a des lampadaires électriques, des trottoirs et même quelques véhicules à sustentation magnétique. »

Ce mélange d'ancien et de moderne n'était pourtant pas si rare dans cet empire où se côtoyaient des peuples, des croyances et des niveaux de civilisation très différents. Sentant son estomac se nouer – à croire que son vin macéré ne « passait pas » –, elle fut prise d'un étourdissement. L'instant d'après, elle se sentit tomber mollement « comme une fleur que l'on coupe », songea-t-elle, un peu trop romantique à son goût.

Lorsqu'elle reprit connaissance, elle marchait le long des rues mornes et tristes.

— Tout doux, ma petite, entendit-elle murmurer contre sa joue froide.

Elle marchait, effectivement, soutenue à la taille par un bras si frêle qu'elle crut qu'une enfant l'accompagnait. Elle tourna la tête et croisa des pupilles noires tachées d'ambre, des yeux globuleux ouverts dans un visage dont la peau ressemblait à celle d'un reptile. Stupéfaite, elle trébucha et fut encore plus surprise de constater que la femme l'empêchait de tomber avec une force étonnante pour de si petits bras.

— Je m'appelle Sherkaya. Et toi, tu es Storine, la fille des lions blancs d'Ectaïr !

En grimaçant à cause de ses crampes d'estomac, encore trop bouleversée pour prononcer un mot, la jeune fille hocha la tête.

— Pardonne-moi de ne pas t'avoir parlé dans la taverne. Je t'ai mise à l'épreuve.

Storine observa de plus près cette femme au faciès de serpent. À quelle race appartenait-elle ? Elle chercha dans ses souvenirs si elle avait déjà rencontré quelqu'un possédant une telle morphologie.

« Elle parle l'ésotérien sans accent. »

Comme elles arpentaient à présent un long chemin boueux et que les habitations se faisaient plus rares, Storine se demanda si elles avaient passé les remparts sans qu'elle s'en aperçoive ou bien si cet endroit ne constituait pas une sorte de banlieue encore en friche, car s'élevaient de-ci de-là des panneaux publicitaires signalant la construction prochaine de bâtiments résidentiels.

— C'est à vous que j'ai parlé... dans l'espace... au cours d'une... transe ?

Les mots lui venaient difficilement, comme si elle se trouvait sous l'influence d'une drogue.

La vieille Sherkaya lut cette pensée au moment même où Storine s'en faisait la réflexion et lui sourit de toutes ses dents noirâtres.

— Tu as pris froid, tu es épuisée, tu as besoin de repos. Ta présence sur Argonia attire des forces obscures très puissantes. Ces hommes en noir, par exemple, et d'autres encore sont attirés par la lumière qui émane de toi. Cette lumière leur fait peur. Nous devrons nous montrer très prudentes.

Storine avait du mal à garder les yeux ouverts. Soit cette femme parlait comme la prose qu'elle lisait dans *Le Livre de Vina*, soit elle avait été droguée.

Sherkaya répondit une fois encore à sa question muette :

— J'ai versé une potion dans ton vin à l'insu du tenancier. Tu ne devrais pas tarder à en ressentir les effets.

— Les effets !

Comme la vieille reptilienne ne prenait pas la peine de préciser si ces effets étaient positifs ou non, Storine eut une très forte envie de se faire vomir.

— Non ! Pas maintenant. Laisse agir la potion, lui recommanda Sherkaya d'une voix douce.

Cette vieille était-elle frêle ou forte, petite ou géante ? Et quelle sorte de corps se dissimulait donc sous ses nombreuses couches de tissus ? Storine s'aperçut que la vieille la soutenait maintenant par la taille d'une poigne de fer. Elles franchirent un portail dont les grilles étaient descellées. Une sorte de dragon en pierre sur lequel tombaient inlassablement les flocons de neige riait en lui montrant ses crocs. Elles foulèrent ensuite du gravier et remontèrent une étroite allée conduisant à un perron. L'ombre noire d'un bâtiment en ruine fait de planches mal équarries l'écrasa soudain, à tel point qu'elle crut que le dragon de pierre avait pris son envol et qu'il fondait sur elle.

— Nous serons bientôt à l'abri, lui murmura Sherkaya dans le creux de l'oreille. Je vais bien prendre soin de toi.

Une porte émit un grincement si aigu que Storine crut que ses tympans allaient éclater. Au moment de perdre connaissance, elle réalisa que cette vieille femme n'avait pas échangé avec elle le signe de reconnaissance convenu : le symbole de la Ténédrah, la pyramide de Vinor dans le cercle de l'éternité. Et si la reptilienne était une complice des hommes en noir ?

«Griffo! appela Storine de toute la force de son âme. À moi!»

Au même instant, le lion blanc entendit l'appel au secours de sa petite maîtresse. Délaissant le dernier quartier de viande qu'il grignotait plus par inquiétude que par faim, il secoua sa crinière, poussa un rugissement de colère et s'élança dans les mouches de neige.

3

Les fleurs souterraines

Sherkaya posa un linge humide sur le front de Storine. La sensation était si rafraîchissante qu'elle oublia le visage sombre et grave penché sur elle, les pupilles ambrées dans lesquelles brûlaient deux petites flammèches étranges. La vieille bâtisse grinçait, craquait, gémissait.

— Elle nous parle, déclara la prophétesse en posant près de la paillasse une bassine d'eau chaude.

La jeune fille tenta de redresser sa tête dans l'oreiller de grains qui crissait sous sa nuque. Les pièces de cette maison, vides et nues, donnaient à penser que l'endroit, abandonné depuis des années, n'avait plus d'âme.

«Pourquoi, alors, ai-je l'impression que l'on me surveille ?»

Obsédée par la présence de ces hommes qui la suivaient, elle ferma un instant les yeux. Son estomac la faisait souffrir. Malgré les recommandations de Sherkaya, elle avait vomi à deux reprises. Quand elle sentit la main froide de la reptilienne sur sa joue, elle se rendit compte que cette femme mystérieuse se déplaçait sans faire le moindre bruit. Devenue méfiante en raison de sa vie aventureuse, ne sachant toujours pas si elle pouvait lui faire confiance, elle trouva le courage de soutenir ses yeux d'ambre.

— Ne dis rien, lui recommanda Sherkaya.

Puis elle traça dans l'air, devant son visage, le symbole de la Ténédrah. L'habitude de ce signe, plus que sa signification profonde, rassura Storine. Des fenêtres devaient être ouvertes dans la grande maison, car un courant d'air glacial faisait battre les rideaux raides, gorgés d'humidité, qui pendaient devant les carreaux.

Malgré tout, Storine restait inquiète. Pour toutes sortes de raisons mais, plus spécifiquement, alors que Sherkaya, à cause de ses vomissements, baignait son corps avec un linge gorgé d'une eau qui exhalait un doux parfum de fleurs.

«Moi qui ne vomis jamais.»

Soudain, elle se revit en train de faire l'amour avec Solarion, sous leur vévituvier, quand ils étaient au collège.

«Mais au collège, se dit-elle, Lâane me fournissait le nécessaire…»

L'image suivante, douloureuse au possible, lui fit revivre les instants merveilleux de passion et d'amour qu'ils avaient partagés…

«Dans ma cellule, à bord du croiseur impérial. Par contre…»

Sherkaya, qui s'activait à son chevet, lui rafraîchissait à présent les bras et le buste. Toute à ses inquiétudes, Storine évitait de fixer sa peau aux reflets moirés – cette peau et ce bec de serpent. Les yeux de la vieille scintillaient de tendresse. Encore une fois, elle sembla lire dans ses pensées :

— Ne t'inquiète pas. Tu n'es pas enceinte, tu as saigné. Tu songes à ce garçon, n'est-ce pas ?

— J'ai saigné ?

Soulagée, Storine se permit un faible sourire. Dehors, les vents s'étaient levés et faisaient gémir la vieille demeure. Sherkaya sortit de la vaste pièce. Allongée à même le sol sur un matelas humide, Storine laissa vagabonder son regard sur les murs sales et gondolés par la moisissure, le plancher de bois troué par endroits, les épaisses toiles d'araignées qui scintillaient doucement et tremblotaient sous les courants d'air.

Vaincue par la fatigue et l'angoisse, elle s'assoupit. Après quelques instants ou quelques minutes, un fin bouquet âcre et sucré l'enveloppa de son arôme. Comme ce parfum lui rappelait les fleurs de vévituvier, elle gémit dans son sommeil. Ouvrant les yeux, elle croisa ceux, immobiles et brillants, de la prophétesse.

— Cette odeur ?

— Elle te rappelle de beaux souvenirs, n'est-ce pas !

— J'espère que Solarion a mal, lui aussi, grimaça Storine.

Puis, se ravisant, elle soupira :

— Excusez-moi, je ne sais plus ce que je dis.

Comment, même si elle le détestait à présent, pouvait-elle penser ou croire, ne serait-ce qu'un instant, que la douleur de Solarion puisse lui apporter du réconfort ? Sherkaya lui caressa le front. La caresse était si douce que Storine s'y abandonna.

— Il pense à toi, lui aussi, et il souffre. Il souffre tellement !

Storine faillit lui crier que non, elle ne voulait pas que Solarion soit malheureux même si, quelque part, cela lui faisait du bien.

— Regrette-t-il ?

Sherkaya la borda longuement avec des gestes précis, puis elle répéta, après avoir pesé chaque mot :

— Il souffre.

Au même instant, en face de la bâtisse, un homme emmitouflé dans son long manteau noir étudiait la sombre façade de bois. Les vents tourbillonnaient autour de lui, mais il se tenait droit, un viseur posé sur les yeux. Il s'agrippait d'une main à une des aspérités de l'entablement rocheux qui s'élevait à une dizaine de pas de la grande allée menant à la maison. Grâce à son viseur infrarouge et au système de vision sophistiqué intégré à son appareil, il voyait très distinctement les deux femmes, l'une agenouillée, l'autre allongée sur le sol, ainsi qu'une troisième silhouette qui apparaissait en rouge sur son écran…

Il entamait les réglages afin de capter leur conversation quand un souffle encore plus froid que le vent lui glaça la nuque. Gêné dans son travail, l'homme piaffa d'impatience contre les intempéries et se retourna.

Ce qu'il vit le fit hurler d'effroi.

Un instant plus tard, son corps ensanglanté tombait mollement dans la neige. Un observateur aurait été surpris et même épouvanté de voir que sa tête avait été violemment arrachée de son tronc.

Storine ferma les yeux. Mais, très vite, le parfum suave flottant au travers des longues pièces vides titilla sa curiosité. Comme la potion que lui avait fait ingurgiter Sherkaya avait calmé ses crampes, elle se leva et s'habilla. Ses vêtements – cape de laine verte doublée de cuir, tunique blanche liserée d'or, pantalon noir serré aux cuisses mais bouffant au-dessous des genoux, bottines en cuir de gronovore –, pliés avec soin à côté de sa paillasse, lui firent monter les larmes aux yeux.

Que faisait la vieille reptilienne? Le vent mugissait aux fenêtres. Elle se baissa et écarta avec soin l'épaisse toile d'araignée tissée dans l'encadrement de la porte. En fermant les yeux et en s'imaginant telle une princesse solitaire arpentant les longs corridors d'un immense château embrumé, Storine remonta jusqu'aux sources de l'odeur qui l'intriguait tant. Elle se prit au jeu: princesse endormie puis réveillée par un charme magique, elle marchait, mains tendues dans la pénombre et le ballet ininterrompu des flocons de neige qui balayait les grands carreaux jaunis.

Au pied d'un escalier branlant dont les poutres vermoulues sortaient du mur à moitié défoncé, elle se demanda comment Sherkaya pouvait vivre dans une pareille ruine. Persuadée que la vieille prophétesse devait posséder quelques mystérieux pouvoirs sans doute inhérents à sa race, elle posa fébrilement le pied sur la première marche. Malgré sa vie tumultueuse, ses multiples luttes pour survivre et, plus simplement, pour comprendre la vie, Storine n'était plus assez petite fille pour se perdre entièrement dans sa rêverie de princesse abandonnée cherchant le réconfort de son amoureux. Pourtant, quand elle atteignit le bas des marches, elle crut que son rêve devenait réalité.

— Tu es surprise, n'est-ce pas?

Rassurée de voir que son hôte se portait mieux, Sherkaya s'occupait les mains et les pensées à soigner ses fleurs. Des centaines, des milliers de fleurs, cultivées dans un sous-sol dont les plafonds, entièrement composés de miroirs, réfléchissaient, le jour, la lumière de l'étoile rouge. Le sol de terre battue exhalait de riches fragrances d'humus, comme sur les planètes de type H – habitables pour l'être humain.

— C'est merveilleux ! s'exclama Storine en se penchant avec respect pour inspirer profondément l'arôme subtil d'une grande fleur mauve et blanc.

« Il y a tant de choses dans le parfum d'une seule fleur », se dit-elle en fermant les yeux.

— Les gens me prennent pour une sorcière, déclara soudain Sherkaya en caressant les corolles d'une fleur noir argenté encore plus odorante. Ils n'osent pas venir jusqu'ici. Les autorités d'Argonia menacent de me chasser et de détruire cet endroit depuis des années, mais ils ne le feront jamais.

— Que c'est beau ! Je n'en ai jamais vu de pareilles sur aucune planète.

— Et tu n'en verras pas. Ces fleurs sont magiques.

La somme des parfums combinés rappelait tant à Storine les moments heureux vécus avec Solarion, sur Delax, que malgré son enchantement, elle avait du mal à respirer normalement.

Sherkaya arrosait de nouveaux plants avec amour. Pourtant, à bien la regarder, Storine lut de la tristesse dans ses yeux globuleux.

— Toute ma vie, j'ai soigné les gens, déclara-t-elle. Même s'ils me repoussaient, même s'ils ne venaient me voir que l'horreur chevillée au cœur.

Storine avisa un mur couvert d'étagères et, alignée dessus, une série de pots contenant soit des poudres, soit des racines ou encore des sirops de différentes couleurs.

— Toi aussi, je peux te soigner, Sto.

Touchée que la vieille femme lui donne son surnom – même s'il n'était guère doux ou féminin –, la jeune fille s'assit entre les plants de fleurs en prenant soin de n'en écraser aucun. Elle pencha son visage et respira profondément l'odeur un peu amère de l'humus.

— Mais vous m'avez déjà soignée ! plaisanta-t-elle.

Ici, le vent glacial du dehors ne soufflait pas. Ici, l'atmosphère n'était tissée que de lumière, de douceur et de paix.

— J'ai soigné ton corps…

À la façon dont Sherkaya laissait sa voix en suspens, la jeune fille se releva, prit une cuvette d'eau et se rapprocha de la femme serpent en répandant elle aussi, avec ses mains, un peu d'eau ici et là.

— La déesse t'a envoyée à moi pour que je soigne ton âme.

La déesse ! La révélation ! Distraite, Storine avait presque oublié la raison de sa présence sur Argonia. La rêverie se prolongeait, le temps s'étirait sans rien dire, sans se plaindre, comme si la femme serpent possédait le don de s'en faire un allié. Les craquements sinistres de la bâtisse avaient beau vouloir attirer son attention vers des dangers bien réels, rien n'existait en dehors de cette paix ineffable, de ce silence cristallin tissé avec amour par l'esprit des fleurs. Quand Sherkaya s'assit près d'elle et commença à parler en lui caressant le front, Storine ferma les yeux et rêva qu'elle se trouvait dans les bras mêmes de la déesse.

— Tu es née pour une tâche bien précise. Ce n'est pas le cas de tout le monde. Nous avons tous des choses à accomplir, petites ou grandes, et toi aussi. Mais ta route à toi a été préparée avec beaucoup de soin. De nombreuses personnes l'ont tracée pour toi depuis très, très longtemps. La vie obéit à des cycles, vois-tu, et les dieux eux-mêmes doivent se plier à cette loi. Tu vas accomplir de grandes choses.

À demi consciente, bercée par les vagues intérieures qui refluaient dans son âme, Storine n'était déjà plus elle-même. La preuve ? Elle ne voulait poser aucune question, elle ne faisait aucune analyse – ce qui, en soi, était stupéfiant. Recueillie dans une lumière merveilleuse qui brillait en dehors du temps, elle écoutait.

— Ceux qui, comme toi, portent l'avenir des hommes à bout de bras ont besoin de préparation. C'est pourquoi ta vie n'a pas été facile. Tu as vu et tu as appris tant de choses ! Tu as rencontré tant de monde ! Tous ces gens sont liés à toi et à ton destin. Ils sont les grains de blé qui composent le pain. Et toi, tu es ce pain. Depuis que tu es toute petite, les gens ont peur de toi. C'est parce qu'ils sentent confusément que tu n'es pas, comme eux, vouée à un destin ordinaire.

La main de Sherkaya était si chaude que Storine crut que la déesse en personne était présente à leurs côtés dans la serre souterraine. Oui, de cela elle était convaincue ! Les paroles de la femme serpent se déroulaient dans sa tête, comme un immense ruban parfumé.

— Ton destin est de sauver d'un grand danger l'empire et toutes les âmes qui le composent. Les prophéties annoncent que les étoiles elles-mêmes en trembleront. Il y aura un grand combat. Mais avant, il t'a fallu apprendre qui tu es, qui sont tes alliés, tes ennemis, tes forces, tes faiblesses. D'autres révélations restent à venir. Plusieurs groupes de gens te survcillent. Ils l'ont toujours fait. Certains sont là pour te guider, d'autres pour t'utiliser et d'autres, encore, pour te haïr. Mais ne cherche ni à les fuir, ni à les haïr en retour, ni à les juger. Ils sont nécessaires à la grande œuvre à laquelle les dieux travaillent depuis des milliers d'années et pour laquelle ils ont sollicité ton aide. Ta venue sur l'archipel d'Argonir est annoncée dans le *Sakem,* le livre des maîtres missionnaires. Aussi, est-il normal qu'ils te guettent.

Soudain, Sherkaya se tut. Le charme fut brisé.

Storine ouvrit les yeux et battit des paupières comme si elle sortait d'une profonde transe – ce qui était précisément le cas. Un poids pesait sur sa poitrine. Reprenant ses esprits, elle s'aperçut que Sherkaya haletait péniblement, le menton posé contre son torse. Elle la secoua doucement. Comme la vieille reptilienne ne réagissait pas, la jeune fille se leva et la souleva dans ses bras.

Elle s'étonna de la trouver aussi légère.

« On dirait que je porte un paquet de linge avec rien à l'intérieur. »

— Sherkaya ! appela-t-elle. Qu'avez-vous ?

Elle s'approcha du bord de la serre, déposa délicatement le corps fané, épuisé, qui gémissait doucement. Les sens aux aguets, elle inspecta les environs. Rien que les fleurs, magnifiques, qui ondulaient légèrement sous une brise invisible, et leurs parfums entêtants.

— Êtes-vous blessée ?

Sa question même la prit au dépourvu. Son instinct lui disait qu'une présence néfaste avait investi les lieux. Était-ce Sakkéré, le dieu des Ténèbres, contre lequel elle avait déjà eu maille à partir ?

Les doigts fragiles de Sherkaya s'enroulèrent autour des siens.

— Storine…

— Je suis là.

Elle trempa une louche dans un broc d'eau et fit boire la vieille femme.

— Je ne t'ai pas encore tout dit…

Sherkaya haletait. Que se passait-il donc ? Sous la peau tendue et mordorée de son visage semblait sourdre un venin produit par son propre système et qui, peut-être, l'empoisonnait sournoisement.

— Êtes-vous malade ?

Ses doigts n'avaient pas plus de force que des brindilles d'herbe.

— Tu vas devoir utiliser les différentes formules de Vina pour, pour… accomplir. Tu vas accomplir ce que les peuples appelleront des miracles. Tu vas être respectée, écoutée, mais aussi crainte et pourchassée.

— Ne parlez pas, reposez-vous.

Un filet de pus suinta de ses lèvres.

— Je suis vieille, très, très… tu n'as pas idée. Je t'attends depuis bien avant ta venue en ce monde.

Ses yeux commencèrent à se révulser.

— Non! Non! Restez avec moi! s'écria Storine en la serrant fort dans ses bras.

Terrifiée, elle repensait à la mort de ses grands-parents adoptifs, à celle de Griffon et de Croa, les parents de Griffo. À celle, aussi, de son amie Eldride, sur la planète Phobia. À la mort d'Ekal Doum et à celle de son père, Marsor.

«Un cortège macabre qui n'a pas de fin. Je suis maudite.»

— Storine…

La jeune fille approcha son oreille des lèvres fendillées de la prophétesse.

— Ne sois pas triste, mon enfant, haleta-t-elle. La déesse m'a maintenue en vie pour que je te parle. Mon cycle s'achève, je me retire…

Elle se retirait. Mais où?

Storine n'avait vu que de l'effroi, que de la douleur et de la peur dans les yeux de ceux qui mouraient. La gorge serrée, elle n'osait pas regarder Sherkaya en face.

— Les miracles que tu vas accomplir attireront sur toi l'attention de l'impératrice. Elle aussi, elle t'attend. Souviens-toi des formules. Répète-les souvent. Imprègne-toi de leur essence. Il t'en reste deux à découvrir. La dernière sera la plus importante. Aie confiance. Surtout, ne… ne pense pas trop. Tu es douée pour te faire souffrir. Il est temps de voir, de voir… Il y a en chacun de nous plus que ce que l'on croit. Des trésors insoupçonnés. Storine?

Elle força la jeune fille à la regarder bien en face.

— Ton premier miracle s'accomplira dans le noir et la peur. Tu rendras la vie à ceux qui se croyaient à jamais perdus. Ensuite, il y en aura plusieurs. Sois chaque fois à l'écoute des autres.

Lorsque Storine fixa les yeux globuleux de Sherkaya, le choc fut si grand qu'elle resta là, pantelante, devant le corps inerte de la prophétesse et ses pupilles révulsées de reptile qui contenaient tout l'amour, toute la joie, tout l'espoir des étoiles, de l'espace et de l'Univers.

Elle ne mourait pas au sens normal du terme. Elle se retirait, comme elle l'avait si bien dit. Elle se retirait tant que Storine, émerveillée, vit ce que jamais auparavant elle n'avait vu. Elle vit l'âme de Sherkaya se densifier sous ses yeux. Une enveloppe de chair lumineuse vibrait, superposée à la dépouille mortelle. Storine reconnut les traits exacts de la prophétesse ; son visage de reptile, son sourire ainsi que l'auréole de lumière qui nimbait son front.

L'âme de Sherkaya se dissocia complètement de son cadavre, flotta au-dessus de Storine, ébahie.

— Ma mission s'achève ici…, lui dit-elle encore par télépathie, alors que son âme diaphane ressemblait à présent à ces rayons de soleil matinaux qui illuminent des particules de lumière. Mais la tienne va commencer…

Lentement, la silhouette sembla se déchirer en mille petits morceaux d'étincelles, jusqu'à ce qu'il ne reste plus, en suspension dans l'air parfumé de la serre, que l'empreinte du sourire de la vieille femme.

Le cœur battant à tout rompre comme si elle venait de courir un cent mètres, Storine tenta de retrouver un rythme respiratoire normal. Sherkaya avait parlé de miracles. Cette mort… enfin, cette retraite, n'en était-elle pas un? N'était-ce pas dans cet esprit que, toujours, il fallait «rendre son âme»?

Submergée par des sentiments et de violentes émotions contradictoires, Storine contempla le corps sans vie de Sherkaya et se dit tout naturellement que cette coquille, qui avait contenu l'âme de la vieille femme, était aussi vide, désormais, qu'un vêtement dont on ne se sert plus.

Une odeur de fumée vint chatouiller ses narines sensibles. Un craquement sinistre retentit au-dessus de sa tête, et un éclair blanc atterrit à ses pieds.

— Griffo! s'exclama-t-elle, alors que le fauve posait sa lourde tête contre son épaule.

Elle lui entoura la crinière de ses bras, prit entre ses mains deux grosses touffes de poils blancs, et frotta sa joue dans ce qu'elle appelait la «barbe de Griffo».

Quand elle s'aperçut que la gueule du fauve était rougie de sang, elle le fixa droit dans les yeux.

— Que s'cst-il passé ?

Mais elle n'avait pas besoin de le lui demander. Dans les yeux du lion elle voyait comment il avait égorgé un des deux hommes en noir avant de se glisser dans la maison pour la retrouver.

La jeune fille fronça les sourcils.

— Dans ce cas, où se trouve son complice ?

Elle fronça aussi le nez.

Quand elle sentit l'odeur âcre de la fumée, elle sortit son sabre psychique et l'alluma. Bientôt, l'incendie lécha les murs et se répandit dans toute la maison…

4

L'incendie

Un tison ardent tomba à quelques centimètres de Griffo. Déjà, les miroirs accrochés
au plafond de la serre se gondolaient puis
éclataient sous l'effet de la chaleur, mais
Storine n'avait d'yeux que pour l'homme qui
se tenait au pied de l'escalier branlant. Une
torche à la main, sans raison apparente, l'in-
cendiaire restait immobile dans le brasier qui
crépitait autour de lui. Fou de rage, Griffo se
cabra. La jeune fille sentit qu'il allait bondir.
Au dernier instant, elle posa sa main sur sa
crinière pour le calmer.

À bien considérer l'homme en noir, son
visage à découvert ruisselant de transpiration,
sa lourde cape qui traînait dans les flammes,
la fixité de son regard, il était visiblement
en état de choc. Storine sentit qu'elle se

trouvait devant un homme plongé dans une sorte d'état second.

Tombant du plafond, des étincelles consumaient les merveilleuses fleurs de Sherkaya. Une épaisse fumée commençait à se répandre, tandis que d'affreux craquements, au-dessus de leurs têtes, indiquaient clairement que la vieille demeure n'était plus, dans ses étages supérieurs, qu'un immense brasier. Storine se couvrit le nez avec un des pans de sa cape.

— Pourquoi me pourchassez-vous?

Griffo rugit de douleur quand une flamme rousse lécha son flanc gauche. Il fit un bond de côté et gronda une seconde fois. Pourquoi Storine ne le laissait-elle pas égorger ce deuxième ennemi?

— Pourquoi? insista-t-elle.

Mais le soldat restait sans réaction. Perplexe, elle suivit son regard posé avec une intensité peu commune sur la dépouille mortelle de la vieille prophétesse.

Avait-il vu, lui aussi, l'âme de Sherkaya quitter sa dépouille? Et ce miracle le rendait-il insensible aux épouvantables grondements de l'incendie? Comme les pans de sa cape prenaient feu, le soldat fit un pas en avant tout en gardant les yeux braqués sur le corps sans vie de la prophétesse maintenant léché par les flammes. Autour d'eux, les grandes fleurs flamboyaient puis se tordaient dans une dernière danse.

En quelques secondes, l'homme fut enveloppé par les flammes. Lorsqu'elles léchèrent son visage, Storine l'entendit enfin hurler. Puis, centimètre par centimètre, le plafond commença à céder sous l'intensité de l'incendie. La fumée s'épaissit, la chaleur devint intolérable. Revenue à la réalité, Storine pris à son tour conscience du danger.

Une seconde, elle se crut perdue. Mais les paroles de Sherkaya résonnèrent dans sa tête. « Les formules. Sers-toi des formules… »

Alors que des poutres enflammées s'abattaient sur ce qui restait de la serre, Storine bondit sur l'encolure de Griffo. Elle empoigna solidement sa crinière à deux mains, puis, tentant d'oublier l'effondrement imminent du plafond ainsi que le soldat qui, hurlant, ressemblait à présent à une torche vive, elle entonna la seconde formule de Vina :

— *Mâatos Siné Ouvouré Kosinar-Tari.*

Autour d'elle, la serre commença à perdre de sa réalité. Une énorme poutre se détacha du plafond. En la voyant tomber droit sur eux, Storine récita également la troisième formule :

— *Âmaris Outos Kamorth-Ta Ouvouré.*

Instinctivement, elle ferma les yeux et se protégea la tête de son bras.

Elle entendit le fracas de la poutre s'écrasant au sol et se sentit submergée par un torrent de flammes déchaînées.

Puis, comme elle ne ressentait aucune douleur, elle se rendit compte que la magie opérait de nouveau. Ouvrant une brèche dans l'espace-temps, la troisième formule avait augmenté le rythme vibratoire de leurs corps, ce qui, sans les transporter dans un autre endroit, les mettait à l'abri de l'incendie.

Fascinés, Storine et Griffo évoluaient au milieu du brasier incandescent qui palpitait autour d'eux, mais sans en ressentir les morsures. Storine se demanda brièvement si ce miracle tenait davantage aux effets de la troisième formule – celle conférant l'invulnérabilité face aux éléments – qu'à ceux de la deuxième, qui permettait de voyager dans une autre dimension. Puis, comme toutes ces flammes lui donnaient quand même l'impression de brûler, elle souhaita goûter la fraîcheur de la neige sur son visage.

Forte de cette image dans sa tête et dans son cœur, elle récita une fois encore la deuxième formule. Cette fois, le brasier s'estompa comme une eau calme se brouille sous la caresse d'une main. Elle ne ressentit ni poussée vers le haut ni même une sensation de mouvement, mais plutôt une puissante vibration intérieure durant laquelle elle ferma les yeux tandis que Griffo poussait un rugissement de victoire. L'instant d'après, un violent coup de vent lui ébouriffa les cheveux.

Rassemblés dans la nuit glaciale devant la bâtisse en flammes, les badauds virent apparaître au milieu du brasier un grand lion blanc monté par une jeune fille enveloppée dans une cape qui flottait dans la fumée noire.

Comme la foule atterrée et superstitieuse commençait à s'agiter, Storine dégaina son sabre psychique et ajouta sa flamme rouge à celle, étouffante, du brasier. Elle vit quelques hommes soulever un corps sans tête et d'autres qui, pointant un doigt vers elle, professaient des paroles qu'elle avait du mal à comprendre. Des sirènes retentirent. Bientôt, plusieurs véhicules équipés de gyrophares et voyageant sur coussins d'air tournoyèrent au-dessus de la foule. Une voix rendue froide et impersonnelle à cause d'un porte-voix électronique la somma de rester immobile et de « contrôler sa bête ».

Quand une douzaine d'agents jaillirent des flancs métalliques des véhicules d'urgence, Griffo planta ses griffes dans la glace parsemée de tisons ardents et poussa un rugissement terrible.

— Ne bougez pas ! leur ordonna un sergent accroché devant l'écoutille de son engin comme une araignée au bout de sa toile.

N'ayant aucune envie de s'expliquer avec les autorités argoniennes, Storine fouetta les flancs de Griffo des talons. En s'élançant, le fauve bouscula trois hommes armés de carabines électriques qui cherchaient à les prendre dans leur ligne de mire. Puis, alors que la foule, épouvantée, s'écartait vivement, ils disparurent dans la neige et les vents tourbillonnants.

Griffo ne s'arrêta de courir que lorsque Storine les jugea hors de danger. Utilisant une des ruses de son père, elle avait feint de s'éloigner de la cité alors qu'en fait, après avoir contourné quelques bâtiments, elle était revenue sur ses pas, d'abord en suivant le lit d'un cours d'eau gelé, puis, alors qu'une dizaine d'aéroscouters sillonnaient le ciel d'Argonia en balayant le sol de leurs projecteurs, en empruntant les égouts de la ville.

Storine cherchait avant tout un endroit calme où elle pourrait réfléchir à une manière de quitter ce rocher. Après la chaleur des flammes, la lumière aveuglante et la fumée âcre, l'obscurité du réseau d'égouts était rassurante.

Griffo en profita pour lécher ses brûlures et Storine, pour s'assurer qu'elle n'était pas blessée. Heureux d'avoir échappé à une mort atroce, ils se regardèrent. Remarquant que son lion avait encore la gueule rougie par le sang du premier soldat, elle glissa de son encolure.

— Viens ici que je te débarbouille !

L'eau saumâtre lui montait jusqu'aux genoux. Elle se baissa pour mouiller un pan de sa chemise qu'elle venait de déchirer quand une douleur aiguë lui transperça le poignet.

— Aïe !

Surprise plus qu'autre chose, elle sortit son bras de l'eau et remonta sa manche.

Griffo, qui avait senti une présence grouillante sous la surface nauséabonde, s'agita. Constatant qu'elle venait de se faire mordre par une bestiole inconnue, Storine se hissa sur son dos.

— Sortons d'ici !

Afin de voir où ils s'en allaient et, surtout, si d'autres bestioles infestaient l'eau fétide autour d'eux, elle ralluma son sabre psychique.

— Là ! s'écria-t-elle soudain en plongeant sa lame dans l'eau.

Le sabre trancha net une sorte de poisson à écailles dont la gueule béante était cerclée de crocs. Lorsque son ventre vint flotter à la surface glauque, une odeur pestilentielle se répandit sous les voûtes du conduit d'égout.

Ils entendirent une sorte de clapotis provenant de l'extrémité du tunnel et firent volte face.

— Fichons le camp !

Elle baissa la tête pour ne pas se cogner contre le plafond arrondi fait de grosses pierres de taille, fouetta des talons les flancs de Griffo.

Ayant échappé aux poissons venimeux, ils ressortirent des égouts plusieurs centaines de mètres en aval, au milieu d'un enchevêtrement de vieux tuyaux et de carcasses d'anciens véhicules, dans ce qui ressemblait à une décharge publique à ciel ouvert. Prise d'étourdissements, Storine respira avec soulagement l'air glacial de la campagne argonienne. Loin derrière eux, en effet, se dressaient les remparts de la cité.

Elle glissa lentement de l'encolure de Griffo.

— Tu n'as rien?

Elle fit le tour de son lion, lui caressa les flancs pour le rassurer et vérifier s'il avait été mordu, lui aussi.

— Maintenant, regagnons notre navette. J'espère que la police argonienne ne nous l'aura pas volée!

Elle rit tout haut à la pensée d'avoir échappé aux autorités. Elle se demanda ce qu'il conviendrait de faire lorsqu'ils auraient décollé. Sherkaya – Storine aurait tant aimé discuter davantage avec elle! – lui avait parlé de miracles. Où allait-elle les accomplir, ces fameux miracles? Au moment de grimper à nouveau sur le dos de son lion, un violent spasme la fit gémir de douleur. Elle hoqueta. Son bras, qui avait enflé au niveau du poignet, l'élançait horriblement.

— Griffo, je…

Puis, victime d'un second étourdissement, elle tomba évanouie.

Le lion rugit une fois, deux fois, trois fois, puis il tenta de réveiller Storine en lui donnant des petits coups de tête. Il lui lécha vigourcusement le cuir chevelu, mordilla la doublure de sa capuche. En désespoir de cause, ne pouvant même plus percevoir, dans sa tête, l'empreinte mentale de la pensée de sa petite maîtresse, il tourna en rond autour d'elle en gémissant d'inquiétude. C'est alors qu'il sentit l'odeur quelque peu fétide de deux hommes qui l'observaient à couvert, à une cinquantaine de pas, derrière une butte de terre blanchie de neige et de glace.

Les hommes se croyaient hors de portée.

Ils avaient tort.

Bien décidé à chercher l'aide de ces deux humains, Griffo marcha droit sur eux, lentement, sans les quitter des yeux. La neige recommençait à tomber, le vent faisait tourbillonner des centaines de mouches blanches qui composaient, autour de son imposante silhouette, une sorte de halo lumineux diaphane. Emmitouflés dans leurs épais manteaux blancs, les deux hommes mirent quelques secondes avant de réaliser que le fauve s'approchait dangereusement de leur point d'observation.

Fébrile, l'un d'eux se redressa et fit mine de s'enfuir en oubliant sur place quelques pièces d'équipement : une pelle, des tubes en verre lumineux, une plaque de visualisation holographique, une arme. Mais son collègue l'en dissuada en lui criant des mots qui se perdirent sous le vent. Ils ouvrirent chacun un grand sac et en sortirent deux casques munis de générateurs énergétiques. Le fauve n'était plus qu'à dix pas lorsqu'ils s'en couvrirent nerveusement la tête. Puis ils restèrent parfaitement immobiles afin de ne rien faire qui pourrait exciter la colère de l'animal.

Bien qu'il bouillonnâ intérieurement, Griffo s'arrêta à une distance respectable. Il ne fallait pas commettre la bêtise de les faire fuir alors que sa petite maîtresse avait besoin d'aide. Ses yeux rouges s'effilèrent. Il fallait scruter l'âme de ces hommes. Savoir s'ils pouvaient lui être utiles. Sachant que les amis de Storine se sentaient plus à l'aise devant lui quand il souriait, il sourit. Puis, toujours dans l'intention de les rassurer, il dodelina de la tête. C'est alors qu'il sentit que les deux hommes souriaient, eux aussi – mais pas pour les mêmes raisons que lui.

En tendant l'oreille, il comprit leurs paroles :

— Nous sommes à l'abri, disait l'un.

— Moi, je préfère augmenter l'intensité, rétorqua son acolyte.

Griffo observa le micro-champ énergétique, couleur de bronze zébré d'éclairs bleutés, qui enveloppait leurs visages. Les humains, il connaissait un peu ; surtout grâce à ses voyages dans l'espace aux côtés de Storine. C'étaient des êtres fragiles, nerveux et lâches qui, la plupart du temps, sentaient très mauvais. Et ces deux-là ne faisaient pas exception à la règle. Comment les apprivoiser ?

Ils possédaient des armes. Pourtant, ils ne les pointaient pas dans sa direction. Il écouta de nouveau leur conversation.

— Qu'est-ce que tu crois qu'il nous veut, Béneb ?

Le dénommé Béneb réfléchit. Ses membres commençaient à geler, surtout ses doigts et ses pieds, même au travers de ses gants et de ses bottes rembourrées. Il connaissait les mœurs de nombreux animaux sauvages, mais peu de choses sur les lions blancs qui étaient une race noble et rare dans l'empire. Il fixa le fauve – même si cela n'est jamais recommandé en pareille occasion – et déglutit.

— Calme-toi, Rakio, répondit-il. Si son intention avait été de nous attaquer, il l'aurait fait depuis longtemps. Non, je crois qu'il veut quelque chose.

Rakio haussa les épaules, très doucement, afin de ne pas exciter la bête.

— Tu rigoles !

Griffo comprit immédiatement que des deux, Béneb, le plus vieux, était l'interlocuteur idéal : curieux, posé, attentif. Il grogna, mais doucement, tout en secouant sa crinière et en balançant sa queue latéralement. Son cœur battait fort dans sa poitrine, car Storine, toujours évanouie, était peut-être en danger de mort. Il avait bien tenté de communiquer avec eux par télépathie, mais les humains, en général, étaient si peu évolués que c'en était affligeant. Malgré tout, en essayant, il comprit vite que les casques énergétiques dont ils étaient affublés bloquaient son flux mental. Il comprit aussi que c'était pour se prémunir contre la force de son glortex qu'ils portaient ces casques.

— J'ai froid ! se plaignit Rakio.

Griffo savait que ces deux hommes étaient les mêmes que ceux qui l'avaient observé, plus tôt dans la journée, quand Storine était partie en ville.

— Il veut nous dire quelque chose, répéta Béneb.

Dans ses yeux pétillait une intense curiosité. Il avala sa salive puis prit sa décision.

— Que… Qu'est-ce que tu fabriques ? s'inquiéta Rakio en voyant son ami diminuer puis éteindre complètement l'alimentation énergétique de son casque de protection.

Griffo suivait chacun de ses gestes avec la plus grande attention. Lorsque Béneb retira son casque, le vent ébouriffa sa courte chevelure noire saupoudrée de gris.

— Et tu veux que je te dise, Rakio, ajouta-t-il, ça concerne sûrement la jeune fille.

Dès qu'il fut en mesure d'essayer de communiquer par la pensée, Griffo tenta l'expérience. D'abord, le courant ne passa pas ; trop de préjugés, trop de peur. Mais après quelques minutes passées à s'observer les yeux dans les yeux, l'homme commença à accepter le fait que le lion ne lui voulait aucun mal – enfin, pour le moment.

— Il a dû arriver quelque chose à la petite. Suivons-le.

Rakio déglutit. Tant de légendes couraient sur la férocité de ces bêtes-là ! Il n'avait pas confiance.

— Viens ! insista Béneb. Et apporte le matériel.

Rakio haussa les épaules, plus noncha-lamment cette fois. Depuis le temps qu'ils travaillaient ensemble, jamais il n'avait réussi à avoir le dernier mot avec son collègue.

Storine fut transportée jusqu'à une vieille navette branlante marquée, sur ses flancs jaunâtres, du sigle d'un institut impérial d'ob-servation de la faune. Lorsqu'ils avaient découvert la jeune fille toujours évanouie et fiévreuse dans la décharge, elle délirait, par-lait de mission, de miracles, d'un pirate mort et d'un prince. Bien sûr, Griffo exigea d'un grondement sec qu'ils hissent sa petite maî-tresse sur son dos.

Il avait ensuite voulu regagner leur propre navette qui était posée dans une plaine non loin des remparts. Mais le dénommé Béneb, mettant de l'avant le fait que Storine avait besoin de soins médicaux urgents, avait plutôt conseillé son propre appareil.

En chemin, tout heureux de s'être décou-vert des talents de télépathe, l'homme aux cheveux poivre et sel avait expliqué à Griffo, sous l'œil sceptique de son collègue, qu'ils étaient tous deux des scientifiques chargés d'étudier les espèces animales des sept rochers de l'archipel d'Argonir.

— Dans notre appareil, nous avons le matériel nécessaire pour ausculter ton amie.

Il adressa un clin d'œil complice à Rakio et lui recommanda de le laisser faire. L'autre ne se le fit pas dire deux fois et songea simplement qu'ils devaient vraiment passer pour des illuminés. Deux hommes escortant un grand lion blanc portant une jeune fille sur son dos, le tout en pleine campagne et pendant une tempête de neige.

Quoi de plus surréaliste ?

« En plus, on gèle ! »

Le fauve avançait à grandes foulées.

— Hé ! Pas si vite !

Béneb, qui ne cessait de parler au lion en s'efforçant de prendre une voix calme, grave et régulière, envoya un regard meurtrier à son collègue.

Pour sa part, Griffo était satisfait, même s'il ne faisait pas totalement confiance à ces hommes. Et, surtout, il était impatient d'arriver à destination. Storine respirait, mais si faiblement qu'il sentait la peur grandir en lui après chaque pas. La peur de ne plus entendre le son de sa voix ; celle de ne plus contempler ses yeux verts. La peur de la perdre. Fâché de ce contretemps, il gronda d'impatience et Béneb, dont le bavardage commençait sérieusement à l'agacer, força l'allure.

— Placto Robien Burus, déclara Béneb après avoir ausculté le bras droit de Storine.

Les deux hommes avaient allongé la jeune fille sur une des couchettes. Située dans la poupe de la navette, la petite cabine ne payait pas de mine et, avec la présence du fauve à bord, semblait encore plus étriquée. Guère habitué à partager son espace – son espace vital, insistait-il – avec un lion blanc, Rakio se tenait en retrait pendant que son collègue jouait au docteur.

« Ridicule ! » se dit-il en voyant Béneb tâter le pouls de la jeune fille. « Un superbe brin de fille, d'ailleurs ! » Il vit son ami tiquer lorsqu'il remonta la manche droite de la rouquine. Béneb prit son poignet entre ses mains, le retourna, considéra le drôle de symbole tatoué dans ses chairs. En se concentrant, il avait l'impression de l'avoir déjà vu quelque part. Mais, pour l'heure, il était bien trop occupé à distraire le lion par ses discours pour s'en soucier. Tout ce qui importait, c'était de parler à l'animal. Comme il avait l'air de voyager avec cette fille, il devait avoir l'habitude qu'on lui parle.

« Et quel discours ! » se dit Rakio en se retenant de rire et, en même temps, de claquer des dents à cause de sa peur panique de voir soudain le fauve perdre patience et les égorger d'un coup de griffes. Pour se calmer, il passa dans le poste de pilotage et alluma la radio.

— Placto Robien Burus, répéta Béneb en s'adressant le plus sérieusement du monde à Griffo. C'est un poisson venimeux qui vit dans les égouts de la cité et qui se nourrit de détritus. Les services d'hygiène tentent de l'éradiquer, mais c'est une espèce très prolifique.

Il s'essuya le front. Griffo observait chacun de ses gestes. D'abord, l'homme dénoua les lacets de la cape de Storine. Puis il la lui retira avec des mouvements lents. Il lui ôta également ses bottes afin qu'elle soit plus à son aise. Enfin, en soulevant son bras droit, il remonta la couverture sur la poitrine de la jeune fille.

— Je vais lui faire une injection de drixtine. C'est un contrepoison couramment utilisé. Par contre, j'ignore combien de temps il lui faudra pour agir. Ça dépend de la résistance du patient.

Béneb était sur le point de demander au « père » (car il se faisait l'effet d'un médecin énonçant un diagnostic au père de la patiente) si son enfant était allergique à certains médicaments, mais il se retint à la toute dernière seconde. Griffo le dévisageait gravement. Oh ! Il comprenait parfaitement la situation et chacun des mots prononcés. De cela, Béneb en était certain.

« Justement, il comprend trop. »

Il sourit au lion.

— Il faut la laisser dormir, à présent, conclut-il, très fier de lui.

Il prit le risque de tourner le dos aux griffes du fauve, mesura un instant l'ampleur de son courage ou de sa folie, anticipa une douleur – quand le lion lui planterait ses crocs dans la nuque – qui ne vint pas.

Comme Griffo n'avait aucune envie de laisser Storine sans surveillance, Béneb hocha la tête et les laissa seuls dans la petite cabine.

Pensif, il regagna le poste de pilotage.

— Hé ! Écoute ça !

Débarrassé de son gros manteau et de son casque, Rakio ressemblait à un rat : petit,

81

malingre, les traits musqués, le regard cha-
fouin.

— La radio raconte qu'un incendie vient
de faire trois morts. Une vieille guérisseuse
et deux hommes, apparemment des soldats
impériaux.

Béneb s'épongea le front – il réfléchissait
intensément. Puis il se laissa tomber sur son
siège de pilotage. Tout en écoutant son collègue, dont l'enthousiasme délirant pour des
détails insignifiants l'avait toujours fasciné,
il commença à effectuer quelques réglages.

— Qu'est-ce que tu fais ? interrogea subi-
tement Rakio en interrompant son bavardage.

— T'occupe. Ensuite ?

— Ensuite, reprit Rakio, ils ont parlé de
cette fille et de son lion. Un des hommes a
été retrouvé décapité. Un coup de griffes. Les
autorités argoniennes pensent que ces deux
soldats étaient à la poursuite de la fille. Et,
tiens-toi bien, ils offrent une récompense de
mille orex pour sa capture.

Béneb dévisagea son collègue. Ses yeux
presque orange étaient un peu tristes.

— Tu aurais le cœur de les livrer aux
autorités, toi ? Et pour une somme aussi
dérisoire !

Rakio jeta un coup d'œil dans le corridor menant à la cabine. De l'endroit où il se tenait, il ne pouvait pas voir le lion ; mais il sentait très bien sa présence.

— C'est la première fois que j'en vois un d'aussi près, ricana-t-il.

— Et tu n'en verras pas d'autre de sitôt. Cette bête (il prononça ce mot avec une respectueuse hésitation) est très intelligente.

— Plus que moi ?

Béneb lui ébouriffa affectueusement la chevelure.

— Que fais-tu ? redemanda Rakio en voyant que son collègue faisait appel aux réserves d'énergie auxiliaires de l'appareil.

Des diagrammes trigonométriques apparurent sur les écrans. Béneb entra dans l'ordinateur plusieurs séries de chiffres, régla des barres de niveau.

— Tu te souviens de ce système de champ énergétique que j'ai insisté pour installer à bord et qui nous a coûté toutes nos économies ?

Il sourit. Ses lèvres découvrirent une dentition gâtée et irrégulière.

— Crois-moi, ce serait un crime de les dénoncer aux autorités.

Il prit fermement les commandes de direction entre ses mains et fit réchauffer les moteurs au brinium.

Rakio demeurait dans l'expectative. Ils étaient arrivés sur Argonia après avoir été chassés des autres rochers de l'archipel. Fouilles interdites, avaient déclaré les patrouilles spatiales.

— Je sais reconnaître la chance quand je la vois, ajouta Béneb avec un clin d'œil.

Ils entendirent soudain le lion blanc gronder.

— Tiens, prends les commandes. Je m'occupe du reste.

Rakio s'assit comme un automate. Le « reste », comme disait Béneb, ne lui disait rien qui vaille. Depuis qu'ils avaient été révoqués de l'institut impérial d'observation des animaux, ils avaient vécu de petits boulots. Les derniers en date avaient été des fouilles archéologiques illégales. Ils traquaient, déterraient, volaient puis revendaient des objets d'art arrachés à des tombeaux, à des temples et à des cités perdues. En attendant mieux, comme disait Béneb. N'empêche ! Ces activités lui faisaient froid dans le dos. Et puis, deux jours auparavant, en fouillant les ruines d'un ancien cimetière datant de la colonisation d'Argonia, ils étaient tombés sur ce grand lion blanc qui semblait monter la garde autour d'une navette.

— Un lion blanc, tu te rends compte ! déclara Béneb de son ton mielleux de faux intellectuel.

— Tu pourrais embobiner un maître missionnaire avec tes grands airs, lui répondit Rakio en poussant le régime des moteurs.

La navette s'ébranla.

— Maintenant ! s'exclama Béneb.

Il entra une dernière série de codes dans l'ordinateur. Aussitôt, la cabine dans laquelle se trouvaient Storine et Griffo fut énergétiquement scellée et isolée du reste de l'appareil.

— La chance, enfin ! répéta Béneb en entendant le lion rugir de colère.

Il ajouta, un sourire goguenard fendu jusqu'aux oreilles :

— On va s'en mettre plein les poches !

Sans savoir pourquoi, Rakio appréciait de moins en moins cette histoire.

5

La station *Critone*

Devant les douanes du principal port d'arrimage de la station *Critone,* les files d'attente mesuraient chacune au moins cinq cents mètres de long. Pour tromper le temps, le jeune homme aux yeux rouges sortit de son sac un étrange appareil qui ressemblait à une visière et s'en ceignit le front. Aussitôt, malgré la chaleur et l'inconfort, son visage au teint pâle semé de boutons d'acné se détendit complètement. À son cou, sous le col relevé de son long manteau de cuir brun, brillait un étrange collier de petites pierres multicolores.

La station *Critone,* à vocation exclusivement minière, ne payait pas de mine. Vaste complexe de verre et d'acier, elle appartenait à la compagnie Roc Imperex, dont le siège social était situé sur la planète mère

Ésotéria. Elle était en activité depuis plus de cent cinquante ans.

Ces informations, le jeune homme les lisaient dans cet appareil frontal appelé mnénotron. Il s'épongea les joues du revers d'une manche. Tout là-bas, aux guérites surélevées, des agents en uniforme gris faisaient du zèle. Transformant pour un instant son mnénotron en jumelles, il étudia leur façon de procéder. À en juger par le matériel sophistiqué dont ils disposaient, la sécurité devait être la priorité du directeur de la station.

«Après tout, se dit-il, l'extraction du brinium est de la plus haute importance pour l'économie de l'empire.»

Ayant voyagé, pour se rendre sur *Critone*, à bord d'un transporteur public opérant à partir de Silésia 2, la plus proche planète, il avait eu tout le loisir d'observer l'étrange complexe spatial. D'abord, comme la station n'était en somme qu'une gigantesque usine de transformation des minerais, il lui fallait bien extraire ces tonnes de pierre de quelque part. L'ingéniosité des concepteurs de la Roc Imperex était connue. Comme le brinium était rare dans la composition des planètes de type tellurique, ils avaient conçu une immense station automotrice qui voyageait dans l'espace à la recherche de météorites géants contenant dans leurs flancs ce type particulier de cristaux de roches, dont on se servait pour alimenter les moteurs des vaisseaux de l'espace.

« Depuis les cinquante dernières années, la station n'a exploité que trois météorites contenant du brinium, se dit le jeune homme. Et, depuis, des milliers d'hommes les creusent inlassablement comme trois énormes gruyères. »

En approchant de la station, on ne voyait d'abord que ces trois mastodontes de pierre et de glace. Puis, lorsque votre appareil de transport se plaçait en vol orbital autour de ces trois rochers solitaires, vous aperceviez, au centre de cet étrange triangle spatial, une construction de facture humaine semblable à une pieuvre géante dont les centaines de tentacules reliaient la station aux trois météorites, et vice versa. Pour le nouvel arrivant, le choc était considérable, compte tenu du fait que la station n'était pas, elle-même, en orbite autour d'une étoile ou d'une planète, mais qu'elle errait dans le vide intersidéral le plus absolu à une distance moyenne d'une année-lumière du plus proche système colonisé.

Revenu de ce choc depuis plus d'une heure déjà, le jeune homme assista, de loin, à l'expulsion d'un des individus – apparemment un mineur en quête d'emploi – qui avait voyagé à bord du même transporteur que lui.

Pour se rassurer, il se dit qu'il n'était pas venu, lui, pour travailler plus de quinze heures sidérales par jour dans le ventre d'un de ces trois météorites glacés.

« Moi, je veux retrouver quelqu'un... »

Soudain, des plaintes s'élevèrent dans la file d'attente. Le jeune homme songea que dans les six autres ports d'arrivée de la station, l'encombrement aux douanes devait être aussi problématique.

— Ils n'ont pas le droit ! s'exclama un homme impatient en levant le bras dans un geste rageur.

Le voyageur replongea dans son mnénotron, se connecta holographiquement avec les ordinateurs de la station – ce qui était illégal – et fit une rapide analyse de la situation.

Au nombre de vaisseaux qui s'arrimaient aux ports d'attache de *Critone* figurait une flotte d'appareils aux formes hétéroclites arborant le sigle bien connu d'une des plus célèbres compagnies de divertissement de l'empire : le cirque Tellarus.

Personne, d'un bout à l'autre de l'empire, ne devait ignorer ce nom prestigieux. Mais à bien y penser, à part sur la planète Delax, au collège de Hauzarex où il en avait brièvement entendu parler, le jeune homme ignorait lui-même tout de cette troupe. Le fait demeurait, cependant, que les vedettes de ce cirque semblaient avoir préséance sur le reste des passagers.

« Bizarre, se dit l'adolescent, qu'un cirque aussi prestigieux fasse escale à bord d'une station minière perdue dans l'espace. »

Puis il se rappela que, les stations de transit étant rares dans certaines partie de l'empire, tout bâtiment pouvait servir de plate-forme de relais pour les voyageurs d'affaires et même pour les simples touristes. Le *Mirlira II,* l'infortuné et très luxueux paquebot de croisière qui s'était perdu corps et biens dans la mer d'Illophène, n'avait-il pas, lui aussi, fait une escale dans le port d'une station minière, dans le système de Lambda-Bhamna ?

Son regard se fixa de nouveau sur les douaniers en uniforme.

« S'ils ne se laissent pas berner par mon faux anneau d'identité, je suis perdu… »

Storine ne savait plus si elle rêvait ou si ce qu'elle vivait était réel. Son dernier souvenir, fragile comme une bulle de savon, lui rappelait une scène douloureuse. Griffo et elle venaient de sortir des égouts de la cité d'Argonia, elle avait très mal au bras. Ensuite, plus rien.

Depuis, elle s'était réveillée à plusieurs reprises. Griffo se trouvait près d'elle. Elle avait du mal à garder les yeux ouverts et une douleur lancinante telle une brûlure palpitait dans son cerveau. Elle avait tenté de parler à son lion blanc. Mais le fauve, qui grondait de colère à l'idée de se trouver enfermé dans un si petit espace, ne lui était pas d'un grand secours.

— Que s'est-il passé ?

Une voix d'homme, grave et régulière, s'était élevée d'un haut-parleur :

— Je vous ai mis de l'eau. Buvez, vous vous sentirez mieux.

Comme rendu fou par cette voix mielleuse, Griffo rugissait et ruait de toutes ses forces contre le battant d'acier de la porte blindée.

Storine avait beau manger et boire les denrées que son mystérieux ravisseur lui procurait au moyen d'un passe-plat intégré à la paroi de la cabine – car un tremblement régulier lui révélait qu'ils se trouvaient bien à bord d'un engin spatial –, elle ne se sentait pas mieux.

Elle dormait beaucoup, vomissait de temps en temps.

La cabine était équipée de toilettes et d'une couchette pour une personne. Griffo dormait sur le plancher et sa masse blanche occupait presque tout l'espace disponible. L'aération était convenable ; il ne faisait ni trop chaud ni trop froid. Et, plus important que tout, Griffo mangeait aussi régulièrement qu'elle. À croire que son ravisseur avait tout prévu.

Quand ses maux de tête lui laissaient un peu de répit, elle s'efforçait de réfléchir à leur situation. Trop faible pour se concentrer longtemps et tenter d'atteindre son ravisseur par delà les parois d'acier avec la force de son glortex, elle demanda à Griffo d'essayer.

Cette méthode, cependant, n'était pas sans danger. Si le glortex du lion enveloppait l'homme derrière la porte, et si cet homme se trouvait à ce moment aux commandes de l'engin, ils risquaient de s'écraser sur une planète ou contre un météorite. La cabine étant dépourvue de hublot, Storine n'avait aucun moyen de savoir s'ils se trouvaient en vol atmosphérique ou bien en plein espace sidéral.

— Depuis combien de temps sommes-nous ainsi retenus prisonniers ?

À bout de patience, elle ordonna donc à Griffo de tenter l'expérience. Mais après maints essais infructueux, elle dut se rendre à l'évidence : un champ magnétique de très haute intensité isolait leur cabine du reste de l'appareil. Ce kidnapping n'était donc pas le fait du hasard, mais relevait d'un plan mûrement réfléchi.

Désespérée, elle se jeta sur sa couche. Depuis qu'elle était enfant, on voulait s'emparer d'elle. Déjà, sur Ectaïr, quand elle vivait auprès de ses grands-parents adoptifs, le commandor Sériac avait surgi et réduit à néant sa petite vie tranquille. À cette époque, elle ignorait la raison de son enlèvement. Aujourd'hui, même si l'essentiel lui échappait encore, elle en savait davantage. Elle était l'Élue de Vina ; celle dont la venue était annoncée depuis des millénaires dans le *Sakem*, le livre sacré des maîtres missionnaires d'Ésotéria, mais aussi dans les prophéties d'Étyss Nostruss, le célèbre devin qui vivait quatre cents ans auparavant.

« Je suis l'Élue de Vina », se répéta-t-elle en ramassant avec une pelle les défécations de Griffo pour aller les jeter dans le bol des toilettes.

Pour lui prouver qu'elle avait raison, *Le Livre de Vina*, ce petit bouquin à la reliure bourgogne qui la suivait depuis des années et qu'elle ne pouvait jamais perdre, apparut un matin sur la petite table de chevet encastrée dans la paroi de la cabine.

Cet événement était d'une importance capitale : il lui prouvait, hors de tout doute possible, que la déesse Vina ne l'avait pas abandonnée. Elle se remémora les révélations que lui avait faites la vieille Sherkaya. « Ton destin est glorieux. Tu sauveras l'empire d'un grand danger. »

N'empêche, cette situation était grotesque. Elle en avait assez de jouer à la proie innocente, de se faire pourchasser et enfermer. Elle n'était plus une fillette apeurée mais une femme. Son sabre psychique lui avait été confisqué. Qu'importe ! Elle seule possédait la force mentale nécessaire pour l'activer.

À bout de patience, elle essaya de négocier avec son ravisseur. N'obtenant aucune réponse, elle se résolut alors à interroger Griffo. Comment avait-il pu, lui, son meilleur ami, son plus fervent défenseur, se laisser ainsi berner ?

Elle le caressa longuement pour le calmer, mais aussi pour se permettre de réfléchir malgré ses maux de tête.

— Mon bébé, je t'aime, tu sais, je ne t'en veux absolument pas. Mais il faut que je sache.

Elle se plaça à une dizaine de centimètres de ses larges yeux rouges, prit entre ses mains ce qu'elle appelait sa « barbe », et se concentra.

— Montre-moi à quoi ressemble notre homme, Griffo. Montre-moi ce qui s'est passé !

C'était la première fois qu'elle tentait une lecture de translucidation sur Griffo. Mais tous deux étaient si étroitement connectés que cela ne représentait pas un grand danger.

« Sauf si, à force d'essayer, ma jolie tête éclate en mille morceaux ! »

Elle eut besoin de plusieurs séances pour extraire de la mémoire du lion le film de ce qui s'était produit après son évanouissement.

Franchement, elle fut surprise par l'allure de ses geôliers. Un grand intellectuel et un petit rat d'égout. Elle restait persuadée qu'ils étaient au service de l'empire et plus particulièrement – les paroles de Solarion lui revenaient à la mémoire – à la solde d'Anastara.

— Elle a juré ma perte, déclara-t-elle à haute voix en se tenant la tête, tant son cerveau semblait aussi gonflé qu'une éponge.

« Les deux soldats noirs qui ont tenté de nous tuer sur Argonia étaient ses hommes de main. Comme ils ont échoué, elle a dû les remplacer par ceux-là. »

Griffo dodelina de la tête.

— Tu n'es pas d'accord ?

Quelque chose, en effet, ne collait pas. Ces deux hommes ne cherchaient visiblement pas à les tuer. Alors, que leur voulaient-ils ?

— Une chose est certaine, ajouta la jeune fille en serrant les dents, ils vont payer pour ce qu'ils nous font !

Persuadée que ses maux de tête provenaient d'une drogue mélangée à sa nourriture, elle sentait que son système nerveux réagissait mal, car elle ne cessait de trembler, son humeur était exécrable – enfin, plus que d'habitude – et elle éprouvait la suffocante impression d'être enterrée vivante.

« De l'air, de l'espace ! »

Oui, ils allaient payer.

Depuis son arrivée sur *Critone* à titre d'élève infirmier détaché par le collège impérial de Hauzarex – son faux motif –, le jeune homme sillonnait les kilomètres de coursives de la station. Comme son horaire lui laissait de nombreuses heures de liberté, il inspectait méticuleusement chaque section de l'immense ville minière.

Il le savait. Les informations qui l'avaient conduit du rocher d'Argonia à *Critone* provenaient de sources sûres. Pour les confirmer, il avait fait appel à de puissants protecteurs. Un, entre autres, qui était tout aussi inquiet et désireux que lui de voir aboutir sa mission…

Pour y parvenir, il devait frapper au sommet.

« Sur *Critone*, le siège du pouvoir, c'est le Directoria, le quartier général du très respecté Abram Loméga, maître, après les dieux et les actionnaires, de la compagnie Roc Imperex, de la station. »

Grâce à son mnénotron, il lui avait été facile de repérer les lieux. Trouver un poste d'observation à la fois intéressant et sécuritaire n'avait par contre pas été une mince affaire, car les systèmes de sécurité, à bord de la station, étaient aussi perfectionnés et efficaces, aux dires de certains, que ceux du palais impérial de Luminéa.

« Mais rien n'est jamais vraiment hors d'atteinte. »

À force d'obstination, et il en possédait à revendre, il parvint à se faufiler dans les conduits d'aération qui longeaient les parois du bureau personnel de Loméga. Après avoir essayé plusieurs postes d'écoute, il avait opté pour celui qui était situé dans le double plafond, à la verticale d'un groupe de trois fauteuils rembourrés dont deux, à cet instant même, étaient occupés par deux soldats entièrement vêtus de noir…

— Vous ne semblez pas comprendre la gravité de la situation, disait un des militaires à la mâchoire serrée, le genre d'homme qui a l'habitude qu'on lui obéisse sans discussion, en se penchant sur le bureau du directeur.

« Enfin quelque chose d'intéressant ! » se dit le jeune homme en souriant.

Après quatre jours d'écoute infructueuse et seize heures d'attente ennuyeuses dans des positions souvent très inconfortables, il touchait au but.

Le directeur Abram Loméga était un petit homme sombre et maigre dont le profil, découpé comme une lame de rasoir, faisait un peu peur même s'il parlait toujours d'une voix flûtée et harmonieuse. Son épaisse chevelure noire, huilée à la mode de sa planète natale, brillait doucement dans la pénombre de son bureau.

Sans doute agacés de devoir rester dans un environnement sombre à cause de l'hyper-sensibilité à la lumière de leur hôte, les deux militaires remuaient nerveusement dans leurs fauteuils.

— Elle va venir, insista l'officier. Peut-être même est-elle déjà arrivée.

Loméga se leva sans façon et se mit à faire les cent pas, car il réfléchissait mieux debout qu'assis. La grande baie vitrée en losange offrait une vue imprenable sur Mysto, le plus gros des trois astéroïdes exploités par la station.

Le directeur se retourna et dévisagea son interlocuteur :

— Colonel Shader, ce que vous me demandez est assez… inhabituel.

Cette voix douce énervait prodigieuse-ment le militaire, et plus encore le fait que ce directeur se soit adressé à lui en mention-nant son nom et son grade, car la mission qui l'amenait sur *Critone* était classée Top Secret. Son compagnon d'armes restait silen-cieux et immobile. Pour des raisons de sécu-rité, aucun d'entre eux ne s'était permis de toucher aux apéritifs de prix que leur avait offerts Loméga.

Shirf Shader se leva un peu trop vite.

— La situation commande une action rapide et, surtout, discrète. La jeune personne que je vous demande de faire arrêter représente une menace de tout premier ordre.

« Nous y voilà », songea le jeune homme recroquevillé dans les conduits d'aération.

Heureux d'assister enfin à un entretien profitable pour lui, il ajusta le viseur de son mnénotron et commença l'enregistrement.

Embêté, Abram Loméga se posta devant une table sur laquelle trônait, en apesanteur, une maquette trigonométrique de sa station minière. De ses doigts effilés et osseux, il traça une ligne le long d'un des bâtiments.

— M'avez-vous dit que cette jeune personne serait accompagnée par un lion blanc ? interrogea-t-il.

Shader réfléchit. À sa connaissance, il n'avait pas mentionné l'existence du fauve.

— Vous voyez, colonel, j'ai beau me trouver au fin fond de l'espace, je me tiens au courant. Cette jeune fille que vous recherchez ne devait-elle pas devenir, il y a quelque temps, la fiancée de notre beau prince impérial ?

L'homme en noir échangea un coup d'œil rapide avec son comparse, toujours assis, l'air impassible. À bout de patience, le colonel fit un pas en avant, puis deux, jusqu'à ce que sa haute silhouette domine et écrase le directeur.

Celui-ci déclara avant que l'autre n'ait pu placer un mot :

— Et, d'ailleurs, qu'est-ce qui vous prouve qu'elle va faire escale sur *Critone* ?

L'officier savait que Loméga était un friand lecteur des prophéties d'Étyss Nostruss (comme tous les soi-disant intellectuels branchés de l'empire) et qu'il était parfaitement au courant des prédictions en rapport avec la « Lionne blanche », comme la surnommait le prophète.

Lui-même, qui tenait ses informations directement des services secrets de Védros Cyprian, son maître, n'y croyait qu'à moitié. Son seul objectif était de se débarrasser définitivement de la fille et de son animal.

— Elle viendra, rétorqua Shader.

Il songea à ses deux collègues de la phalange des gardes noirs de la grande duchesse Anastara envoyés sur Argonir avec la même mission.

« Ils ont lamentablement échoué. Moi, je vais réussir. »

Même s'il feignait la nonchalance, Loméga était très excité. Se pouvait-il que les prophéties s'avèrent exactes ? Occultiste accompli, cette perspective le réjouissait au plus haut point.

— Et comment ferez-vous pour vous en emparer ? demanda-t-il.

— Nous nous occuperons de ce petit détail en temps et lieu, répondit le second officier, celui qui n'avait pas encore prononcé un mot.

Il ne le dit pas, mais il attendait des renforts qui devaient arriver sous peu.

— Je ne doute pas que, le moment venu, vous nous fournirez toute l'aide nécessaire, mon cher directeur, ajouta le colonel Shader en le gratifiant d'une solide tape sur l'épaule.

Loméga éprouva soudain une vive inquiétude. Ces hommes étaient des agents secrets au service personnel de l'homme le plus puissant de l'empire.

« Plus puissant, même, que l'impératrice dont il est en quelque sorte l'éminence grise. »

Prenant le silence du directeur pour de l'obstination, Shirf Shader ajouta, menaçant :

— Nous connaissons l'existence des Interdits.

À ce mot que personne, à bord de la station, parmi ceux qui *savaient* n'osait prononcer, Abram Loméga se raidit. Il n'ignorait pas que cette « honte », comme il l'appelait dans le secret de son cœur, était son point faible ; la petite lézarde dans le vaste édifice de sa si belle réputation et de son honneur.

— Quand la Lionne blanche rugira, comme l'annoncent les prophéties, nous lui organiserons une réception digne d'elle, n'est-ce pas, monsieur le directeur ?

Immobile dans son conduit d'aération, le jeune homme transpirait à grosses gouttes. Que signifiait tout cela ? Qui donc étaient ces mystérieux Interdits ?

Soudain, un bip retentit dans le bureau. Un projecteur holographique s'activa, faisant apparaître un visage sur le petit plateau posé sur le bureau.

Les deux officiers eurent beau encadrer le directeur, ils ne comprirent strictement rien au message qui venait d'être transmis à Loméga. Par contre, en observant les traits figés et la face terreuse du petit directeur, ils n'eurent aucun mal à en mesurer la gravité.

— Messieurs, déclara Abram Loméga en avalant péniblement sa salive, il semble que la « Lionne » vient de rugir…

6

La fureur de la Lionne

Le serviteur s'approcha du vieil homme à la redingote bleu et or, qui caressait le cou d'une jondrille affamée.

— Monsieur le directeur ?

L'interpellé sourit à son majordome, tout en donnant le biberon à l'espèce de grande autruche montée sur pattes dont le plumage, multicolore, luisait sous les projecteurs.

— Bois, ma mignonne ! l'encouragea le directeur du cirque Tellarus sans s'occuper du lait qui, coulant du bec de la jondrille, imbibait son magnifique habit d'apparat.

— Monsieur Dyvino ? insista le majordome en levant timidement un bras.

De nombreux techniciens, ouvriers et artistes, occupés à nettoyer, à monter des décors ou à répéter inlassablement leurs numéros, s'activaient à l'intérieur de l'immense hangar dans un vacarme assourdissant. Les ménageries, installées loin des appareils abritant les quartiers des artistes, contenaient des centaines d'animaux appartenant à tous les règnes et provenant d'une cinquantaine de planètes différentes. En amoureux des bêtes, monsieur Dyvino ne manquait jamais, quand ses nombreuses responsabilités le lui permettaient, de prêter main-forte au personnel chargé de l'entretien des animaux.

Reconnaissante, la jondrille, qui malgré son jeune âge mesurait environ un mètre cinquante au garrot, fit mine de picoter le ruban rouge de son haut-de-forme.

— Mais oui, tu es belle ! lui répondit le vieil homme en lui flattant le plumage.

Il enchaîna, d'excellente humeur :

— Eh bien, qu'y a-t-il ?

— Un homme de l'association impériale de l'observation des animaux, monsieur. Il dit qu'il vous connaît.

Monsieur Dyvino, dont la réputation n'était plus à faire après quarante années passées à sillonner l'empire, était un petit homme rondelet et jovial à la face rosée comme un poupon et aux yeux aussi verts que des larmes de pluie un jour d'été. Ses grosses lèvres, loin de lui donner des allures hautaines, attendrissaient ses interlocuteurs. Enfin, jusqu'à ce qu'ils s'aperçoivent que sous ces airs de chérubin se cachait une puissante intelligence doublée d'un art consommé de la négociation.

Il se sentait de bonne humeur, notamment parce qu'il venait de négocier, avec le palais impérial de Luminéa, une tournée de deux mois dans la capitale pour divertir, aux frais de l'impératrice Chrissabelle, des milliers d'enfants malades. Rempli de tendresse à la pensée de revoir bientôt la généreuse souveraine, le directeur s'offrit un de ses rares plaisirs : un cigare ambré cultivé dans les plantations de la planète Freesia.

Comme son fidèle majordome semblait fébrile, Dyvino lui donna une bonne tape entre les omoplates et le suivit dans l'unité mobile qu'il s'était spécialement fait aménager pour se trouver encore plus près de ses chers animaux.

Lorsqu'il aperçut Béneb, qui l'attendait respectueusement dans son bureau en contemplant l'image holographique d'un magnifique lion blanc, le directeur du cirque se rembrunit aussitôt. Déçu, il eut même envie d'éteindre son merveilleux cigare. En s'asseyant et en invitant son hôte à faire de même, il se ravisa, car pourquoi se laisser aller à l'ennui quand il venait de donner le biberon à une aussi gentille créature ailée !

— Que me vaut l'honneur, maître Béneb ? commença-t-il sur le ton de celui qui se demande plutôt comment il pourrait se débarrasser de son hôte.

L'ancien fonctionnaire, devenu pilleur de tombes, avait déjà eu affaire au célèbre monsieur Dyvino. Pour capter son attention, il n'était pas nécessaire de se montrer subtil ou, pire, superficiel, car le vieil homme n'aimait ni les impudents ni les hypocrites. Béneb savait que sa proposition était osée. Il savait aussi que le vieil homme ne pourrait que se montrer intéressé.

— Monsieur Dyvino, je vous sais très occupé, aussi j'irai droit au but.

Pour cette rencontre, Béneb s'était vêtu de neuf. Costume finement coupé, cravate à l'ésotérienne couleur lie-de-vin, ample autour du cou et tombant fièrement sur le torse, cheveux gominés et gants de velours. Le pilleur pointa l'image holographique de son long doigt blanc.

— Je connais votre ambition suprême, le rêve de votre vie, et je suis venu vous l'offrir.

Monsieur Dyvino ne répondit pas. Les yeux mi-clos, il fit des ronds de fumée avec son cigare. Béneb enchaîna sur la magnificence des lions blancs et l'impact, sur les publics de l'empire, d'un numéro présentant un véritable lion blanc d'Ectaïr – et non pas des tigroïdes peints en blanc comme cela se faisait déjà dans d'autres cirques de moins bonne réputation.

— Je sais que vous avez le plus grand respect pour votre public.

— Venez-en au fait, Béneb, lui répondit le vieil homme après lui avoir fait la grâce d'écouter son bavardage jusqu'au bout.

Voyant que le directeur se levait, le pilleur de tombes pâlit.

— Ce que je veux vous dire, monsieur, c'est que je possède un lion blanc aussi beau, aussi puissant et aussi intelligent que Soloman, le lion sacré du Grand Unificateur.

Il avait débité cela d'un seul souffle, comme un homme perdu en mer accroché à sa dernière bouée. Lentement, monsieur Dyvino se rassit.

— Un lion blanc ?

— Précisément.

Le directeur du cirque n'eut pas besoin de réfléchir longtemps. Personne, dans l'empire, n'avait jamais réussi à dompter un lion blanc. À cause des protections dont ces fauves bénéficiaient de par leur étroite filiation avec la monarchie spirituelle et les récits du *Sakem,* mais aussi, et surtout, à cause de leur terrible pouvoir télépathique, le fameux glortex. Quiconque, à sa connaissance, avait essayé de tuer, de capturer ou de domestiquer une telle créature était mort. Sauf, bien sûr, le prophète Étyss Nostruss et Érakos, le frère du premier empereur connu de la dynastie des Hauzarex.

Il songea à tout cela en l'espace d'une seconde, tandis que Béneb transpirait sous son épaisse cravate. Soudain, monsieur Dyvino se rappela une chose surprenante entendue aux nouvelles interspatiales, quelques mois auparavant.

— Storine Fendora d'Ectaïr, déclara-t-il à haute voix.

— Pardon?

— Cette adolescente qui voyage dans l'espace accompagnée d'un lion blanc et qui devait se fiancer au prince Solarion!

Ce rapprochement subit lui donna un coup au cœur. En réfléchissant davantage, monsieur Dyvino se rappela également qu'au fil de ses voyages, il avait entendu dire que

Marsor le pirate avait eu à son bord, pendant un temps, une fillette et un jeune lion blanc… Curieux d'en apprendre davantage, il choisit de faire parler son hôte. Sans trop se forcer, car cette affaire commençait à le passionner, il mit Béneb à son aise, lui offrit à boire et alla jusqu'à lui céder un de ses précieux cigares.

Flatté, le pilleur de tombes lui raconta comment il avait piégé le lion en sauvant sa jeune maîtresse, mordue par un poisson venimeux sur le rocher d'Argonia. Au fur et à mesure que se déroulait le récit, monsieur Dyvino sentait une sourde inquiétude monter en lui.

— Le lion et sa jeune maîtresse seraient donc ici en ce moment même ? demanda-t-il, la bouche pâteuse.

Béneb lui adressa un franc sourire :

— Et je suis prêt à vous céder les deux pour un prix unique !

Dans les yeux du pilleur brillait la convoitise ; l'alcool émoussait sa prudence. Ce coup s'annonçait comme le meilleur de sa carrière. Avec cette quantité d'orex – car Dyvino ne le paierait pas en monnaie de singe –, lui et Rakio s'offriraient enfin cette retraite dorée à laquelle ils aspiraient tant.

— Vous dites que ce lion blanc, lui demanda le directeur d'une voix affable, avait si peur pour la vie de sa maîtresse qu'il vous a suivis dans votre navette et qu'il a accepté de se laisser piéger !

Le champ magnétique utilisé par le pilleur était particulièrement intéressant, car, à sa connaissance, seules quelques élites de l'armée impériale possédaient la technologie nécessaire pour produire un champ capable de tenir à distance la terrible force du glortex.

— Un lion-roi peut tuer rien qu'en projetant sur son adversaire la force de son glortex, ajouta-t-il comme pour lui-même.

Béneb déglutit. En avait-il trop dit ? Surtout, ne pas avouer qu'il avait eu la chance inouïe d'aborder, peu de temps auparavant, un navire impérial qui avait subi de graves avaries à la suite d'une pluie de météorites. C'est à cette occasion et, presque par hasard, que les plans secrets du champ de force étaient tombés entre ses mains.

— Et maintenant ? Je veux dire, en ce moment, le lion et la jeune fille se trouvent... quelque part à bord de la station ? demanda Dyvino.

— Je vous dirais même, monsieur, à quelques dizaines de mètres de votre maison, à bord de ma navette.

Cette réponse brutale donna le vertige au directeur.

— Combien m'en offrez-vous ? s'impatienta le pilleur.

— Et la jeune fille… accepte de faire partie de ma troupe d'artistes ?

Cette question mit Béneb très mal à l'aise. Partagé entre la fierté et un restant de prudence, il hésita, puis, encouragé par le sourire bon enfant du directeur, il lui confia d'un air de comploteur :

— En ce moment, elle n'est pas en état de décider quoi que ce soit. Mais je suis certain que vous pourrez lui faire entendre raison.

Il lui raconta ensuite que, durant le transport, il avait dû la droguer afin qu'elle se tienne tranquille. Dyvino se rappela avoir entendu dire que cette Storine Fendora possédait toute une personnalité. Déjà, à l'époque où elle devait se fiancer au prince impérial, il avait rêvé de la rencontrer. Pourtant, les révélations du pilleur lui donnaient des sueurs froides. Quand il apprit le nom du médicament utilisé pour la neutraliser, il en laissa tomber son cigare de surprise. Puis, les yeux vides d'expression, il balbutia d'une voix tremblante de colère :

— Malheureux ! Vous ignorez que ce produit peut, dans certains cas, se révéler mortel ! Ses effets secondaires les plus bénins peuvent jeter un homme dans des transes démentielles. Il ne se contrôle plus. Il pense que le monde entier lui en veut. Sa peur, sa rage se décuplent, il…

À cet instant précis, son majordome surgit dans son bureau, essoufflé et échevelé.

— Monsieur le directeur, c'est terrible !

D'abord, ils n'entendirent rien. Mais après quelques secondes, ce silence, justement, se révéla bien plus inquiétant que tout ce que l'on pouvait imaginer. Un cri d'effroi s'éleva dans l'immense soute. Le directeur sortit en hâte de son unité mobile.

À première vue, rien ne semblait avoir changé. Quoique, à bien y penser, tous les animaux, comme pétrifiés, s'étaient tus. Entre les appareils du cirque, les ouvriers semblaient eux aussi frappés de stupeur. Tous les sens en alerte, ils retenaient leur souffle. Un grand vieillard décharné, que le directeur avait engagé sous le nom de Touméneb en qualité de médium, se prit la tête entre les mains et se recroquevilla au sol en criant qu'un malheur venait de survenir.

— Fuyez ! s'écria-t-il, la figure blême de frayeur.

L'expression du visage de Dyvino n'avait plus rien d'affable. Il se tourna vers le pilleur :

— Qu'avez-vous fait ? Qu'avez-vous fait, malheureux ? répéta-t-il en rougissant de colère.

D'un seul regard, monsieur Dyvino fit une analyse de la situation. Un premier rugissement s'éleva. Habitué à vivre au milieu des animaux à longueur d'année, le vieil homme se targuait de « connaître la voix » de chacun de ses fauves. Il pâlit devant ce rugissement qu'il ne reconnaissait pas. Vêtu d'une longue tunique couleur de sable qui flottait sur son corps ascétique, Touméneb vint le prendre par les épaules.

— Un grand malheur, monsieur le directeur ! Faites évacuer le hangar.

Les yeux du médium, grands ouverts sur ce malheur dont il était le seul à mesurer l'ampleur, étaient effrayants. Le petit homme se hissa sur une plate-forme. Là-bas, à une centaine de mètres derrière les gros cargos transportant les pièces détachées de ses scènes et de ses pistes, semblait se produire des événements graves. En effet, les fauves de ses ménageries, qui s'étaient tus un moment, s'agitaient dans leurs cages. Dyvino entendit les appels au calme que leur lançaient les dompteurs, le claquement de leurs fouets électriques. Jaillissant d'entre les appareils stationnés comme des vagues d'insectes effrayés, des dizaines d'ouvriers refluaient vers le croiseur principal près duquel son unité mobile avait été installée.

— Que se passe-t-il?

Il sauta au bas de la plate-forme et alla à la rencontre de ses employés. Il croisa des regards vides, des visages ruisselants de sueur. Certains hommes tremblaient. D'autres, parmi lesquels il reconnut un de ses trapézistes vedettes, soutenaient avec l'aide d'un de ses frères un ouvrier évanoui qui bavait lamentablement.

— Ça provient d'une navette de transport stationnée derrière les nôtres, expliqua un des hommes.

Monsieur Dyvino sentit monter sa colère. Il se retourna, croisa le regard hébété du pilleur de tombes. Celui-ci ne semblait pas comprendre ce qui se passait. Mêlé aux employés du cirque, Béneb reconnut soudain son comparse et s'exclama, comme si cela pouvait tout expliquer :

— Rakio !

Le pilleur aux allures de rat fit encore quelques pas, puis, le visage baigné de sang, s'écroula aux pieds de son ami. Un infirmier appartenant au personnel du cirque s'approcha du blessé qui gémissait et pleurait tout à la fois. Béneb ainsi que monsieur Dyvino s'agenouillèrent à leur tour.

— Le lion ! balbutia Rakio. La fille…

— Qu'as-tu fait ? lui demanda Béneb sans se rendre compte qu'il accusait son ami comme il l'avait lui-même été, quelques minutes plus tôt.

— Elle me suppliait, elle avait soif, elle tremblait tellement…

Dyvino n'eut pas besoin qu'on lui fasse un dessin. Droguée, la jeune fille devait être très mal en point.

— Alors tu as désactivé le champ de protection, termina Béneb qui avait compris, lui aussi. Par les dieux ! ajouta-t-il à la pensée que le lion, sûrement fou de rage, était maintenant libre d'agir à sa guise. Rakio bredouilla d'autres paroles indistinctes, puis il fut pris de tremblements. Enfin, comme il saignait des oreilles et du nez, il hoqueta et ferma les yeux.

— Il est mort, déclara peu après l'infirmier en fixant son directeur d'un œil sombre.

— C'est l'œuvre du glortex, murmura celui-ci.

Comme les autres animaux menaçaient de se révolter contre leurs dresseurs, le directeur, les mains moites, dut dépêcher un de ses aides pour qu'il prévienne les autorités de la station.

— Il faut faire évacuer le hangar et isoler le lion. (Il hésita un instant avant d'ajouter, car la décision lui répugnait :) Si le fauve est enragé, il faudra trouver un moyen de l'abattre avant…

Il n'osa pas terminer sa phrase tant il avait lu et entendu d'atroces récits de battues qui s'étaient terminées par la débandade des chasseurs.

Il s'apprêtait à donner d'autres directives quand il comprit, aux bruits des fouets électriques et aux rugissements de ses animaux, que le glortex du lion blanc s'abattait sur eux en tourbillons dévastateurs. Pour finir de l'en convaincre, d'autres hommes, proprement

terrorisés, étaient pris de crises d'épilepsie.
Il en compta une quinzaine : certains déli-
raient, d'autres tombaient comme des mouches. La plupart saignaient des oreilles comme
si la pression du glortex faisait exploser les
veinules de leur cerveau.

— Regardez ! s'exclama un ouvrier, les
yeux écarquillés.

La centaine d'hommes se retourna en
même temps. Tous virent, marchant à leur
rencontre entre les croiseurs stationnés, une
jeune fille vêtue d'une cape vert émeraude.
Les traits de son visage étaient tendus ; ses
yeux, fiévreux et noirs comme de la suie. Le
lion blanc l'accompagnait, si grand que sa
jeune maîtresse semblait frêle et désarmée.
Mais Dyvino ne s'y trompa pas. Son instinct
lui criait que le danger venait d'elle plus que
du fauve, et il en fut bouleversé.

Derrière lui arrivaient enfin les renforts
envoyés par Abram Loméga. Une vingtaine de
soldats de la station en armes arborant des
casques énergétiques, une technologie toute
récente qui était utilisée sur *Critone* pour la
toute première fois.

Le lion blanc et la fille n'étaient plus
qu'à une cinquantaine de pas. Dans le hangar,
plusieurs projecteurs ayant explosé, la lumière

avait diminué de moitié. Aux cris des dompteurs complètement débordés, Dyvino comprit que d'autres fauves, les siens, étaient sortis de leurs cages.

Il voulut ordonner aux soldats de Loméga de ne pas ouvrir le feu sur ses propres bêtes. Chacun sentait s'exercer dans son corps, entre ses tempes, l'extrême tension créée par le glortex de la fille – cela semblait à peine concevable –, soutenu par celui de son lion blanc.

« La drogue, songea-t-il. Elle est sous l'emprise d'une folie meurtrière. »

Comment la raisonner, comment l'empêcher de les tuer tous ?

Soudain, la jeune fille dégaina un sabre. La lame s'alluma. Une radiance couleur de sang éclaboussa le fuselage des croiseurs stationnés. L'officier commandant le détachement de soldats ordonna à ses hommes de se mettre en joue. La tension était si palpable, si réelle, qu'on aurait cru qu'un orage approchait. Sans voir de nuages noirs, ils les imaginèrent, car c'était ainsi, exactement, qu'ils percevaient la situation.

« Cet orage provient de la force du glortex. C'est donc ainsi que cela se passe, songea monsieur Dyvino en tombant soudain à la renverse à cause d'une vive douleur dans sa tête.

— En joue, répéta l'officier.

Malgré les casques protecteurs qui recouvraient leurs têtes, certains soldats transpiraient à grosses gouttes. Leur fusil laser calé contre leur épaule, ils attendaient l'ordre de tirer, tandis que les ouvriers, dépourvus de toute protection, tentaient d'aspirer une goulée d'air en râlant comme des asphyxiés.

Échappant au contrôle de trois dompteurs de métier, un énorme tigroïde surgit soudain et chargea la jeune fille. Le grand lion blanc bondit en avant et se plaça devant sa maîtresse, qui continuait d'avancer. Le combat fut bref mais sauvage. Une gerbe de sang éclaboussa la cape de Storine. Le tigroïde, un animal pourtant impressionnant, s'écrasa sur le flanc, la gorge sectionnée par un terrible coup de griffes.

— À mon ordre! hurla l'officier pour couvrir le fracas de ce combat de titans.

— Attendez! Attendez! hurla alors un jeune homme en se frayant à grand-peine un passage entre les ouvriers tétanisés de frayeur.

L'inconnu portait un long manteau à capuchon. Il découvrit son visage. Ses yeux étaient rouges, ses traits graves ; il portait une chevelure raide et noire.

— Je les connais ! s'exclama-t-il, mains tendues et ouvertes pour empêcher les soldats de tirer.

Essoufflé, il se planta devant l'officier.

— Laissez-moi essayer de la raisonner.

Comme l'écart s'amenuisait entre Storine, Griffo et le bataillon de soldats derrière lequel la foule s'était retranchée, l'homme en uniforme, écoutant les ordres qui lui étaient transmis au moyen d'un micro-émetteur fixé à son casque, opina de la tête.

Sans plus attendre, le jeune homme se planta devant les soldats et arracha le collier de pierres qu'il portait autour du cou. Aussitôt, son visage se métamorphosa.

— Sto ! s'écria-t-il, c'est moi !

7

Les monstres
sans visage

Des monstres. Pour elle, ils étaient tous des monstres. Grands, sombres, menaçants. Ils sortaient de partout. Elle n'était pas certaine de reconnaître ce vaste hangar dans lequel elle marchait à la poursuite de ces créatures qui la hantaient depuis… elle avait perdu le compte des jours. Griffo avançait à ses côtés. Ensemble, ils faisaient face à ces centaines d'êtres maléfiques qui fuyaient à leur approche. Elle entendait leurs hurlements, se réjouissait de leur couardise. Insensible aux cris, évoluant en plein cauchemar, elle dégaina son fidèle sabre psychique.

— Griffo! Couvre-moi! Cette fois, nous allons en finir.

Devant eux s'était rassemblé tout un bataillon de ces monstres sans visage. Son corps la faisait atrocement souffrir. L'impression d'étouffer, la tension qui habitait ses membres, cette énergie incroyable mais douloureuse qui palpitait autour d'elle !

« Le glortex », songea-t-elle.

Mais un glortex sombre, encore plus tyrannique que d'habitude, décuplé par la colère d'avoir été enlevée, puis séquestrée, mais aussi par la douleur causée par les drogues.

Soudain, alors que, sabre au clair, elle s'apprêtait à fondre sur le premier rang de monstres, une grande silhouette noire dépenaillée surgit devant les autres. Que voulait-elle ? Sans vraiment comprendre, Storine devina qu'on cherchait à la défier. La voix de ce nouveau démon lui était vaguement familière. Ses mains tremblèrent. Elle hésita une fraction de seconde. Pourtant, elle devait frapper. Car frapper, c'était se débarrasser de l'excédant d'énergie, c'était vaincre la douleur qui lui vrillait les tempes.

— Sto ! entendit-elle.

Qui était cette créature qui se permettait de l'appeler ainsi ? Agacée de ne pouvoir se rappeler à qui appartenait cette voix qu'elle connaissait, elle leva son sabre et frappa de toutes ses forces.

Réfugié à quelques pas de son unité mobile derrière la rangée protectrice des soldats critoniens, monsieur Dyvino accueillit avec soulagement l'arrivée du directeur de la station. Vêtu à la va-vite d'un long manteau de cuir rouge, ses fragiles pupilles abritées derrière d'épaisses lunettes fumées, Loméga le salua brièvement.

— Où en sommes-nous ?

— Vos hommes s'apprêtaient à tirer quand ce jeune inconnu s'est interposé entre eux et la jeune fille.

Loméga s'avança ; ses hommes lui ouvrirent respectueusement le passage. C'était plus fort que lui, il voulait contempler le visage de la Lionne blanche des prophéties. Dyvino, en proie à la même fascination que lui, l'avait suivi.

— Mais… que font-ils ? demanda le vieux directeur de cirque.

Loméga haussa les épaules. Apparemment, ce jeune fou qui prétendait connaître l'Élue en était réduit, devant sa fureur, à défendre sa vie.

— Il a dégainé un sabre, lui aussi ! s'exclama un homme dans la foule.

— Que fait-on, monsieur le directeur ? interrogea son officier.

Loméga ne pouvait détacher son regard de ce couple de jeunes gens qui, arme au poing, se battaient furieusement. La gorge serrée, il n'osa répondre…

Le « monstre » était armé, comme elle ! Et doué du poignet ! Storine redoubla d'efforts. Cette façon de se déplacer lui était familière. Comme il bloquait chacune de ses attaques et qu'il feintait comme s'il connaissait ses bottes secrètes, elle en vint à penser que son adversaire était résolu à la tuer.

— Essaie toujours ! lui hurla-t-elle férocement tandis que Griffo se tassait pour éviter un coup de sabre.

Chaque attaque résonnait dans ses muscles. Et cette voix, qui ne cessait de lui crier aux oreilles de reprendre ses esprits et quoi encore ? Comment disait-il ?

— Arrête tes conneries ou on va finir par se blesser ! Griffo, ajouta le « monstre », dis-lui d'arrêter !

Le lion blanc ne grondait plus. Dodelinant de la tête, impuissant, il assistait à ce combat en sachant que sa petite maîtresse n'était plus elle-même. Mais que faire d'autre ?

— Griffo ! Dis-lui ! implora celui que Storine ne voyait que sous l'apparence d'une créature inconnue aux traits indistincts.

— Alors, monsieur le directeur ! s'impatienta l'officier.

Chacun retenait son souffle. La force du glortex s'étant dissipée, les hommes se sentaient mieux. Fendant la foule amassée, armé d'un long bâton, le vieux Touméneb agrippa monsieur Dyvino par le col de sa redingote :

— C'est la Lionne blanche de la prophétie ! Empêchez ces hommes de tirer !

Loméga, qui partageait ce sentiment, leva un bras.

— Attendez ! Attendez encore !

Soudain, Storine vit son adversaire trébucher. Son arme rebondit sur le sol.

— Tu vas mourir ! s'écria-t-elle en fondant sur lui.

Au tout dernier instant, Griffo se décida à agir ; il déséquilibra sa petite maîtresse d'un léger coup de tête. Emportée par son propre élan, elle alla percuter le flanc d'un des croiseurs stationnés. En perdant connaissance, elle hurla de frayeur, car elle savait qu'elle tombait dans les bras du « monstre »…

— Restez en retrait ! dit le jeune homme en soutenant Storine dans ses bras.

— Que dit-il?

— Je crois, répondit l'officier, qu'il nous demande de ne pas nous approcher.

— Faites évacuer la soute, ordonna Loméga en ajoutant pour monsieur Dyvino, je crois que vos dresseurs ont repris le contrôle de vos bêtes.

En disant cela il repéra, dans la foule qui se retirait, une quinzaine de soldats vêtus d'uniformes noirs. Son regard croisa celui, sombre et sévère, du colonel Shirf Shader. L'expression de celui-ci ne lui dit rien qui vaille.

La surprise, puis la douleur du choc de sa tête heurtant le flanc de l'appareil avaient brisé sa colère. Peu à peu, Storine reprit ses esprits. D'abord, elle eut l'impression de flotter. Puis elle reconnut la grosse tête de Griffo et ses yeux rouges qui la contemplaient avec inquiétude. Ce n'est qu'ensuite qu'elle sentit les bras musclés de celui qui la serrait contre sa poitrine. Lentement, elle fit le point sur l'épaisse chevelure noire, sur le teint verdâtre, sur les yeux sombres au regard brûlant.

— Éridess, murmura-t-elle, incrédule. Éri! Par les cornes du Grand Centaure, c'est toi!

Submergée par une émotion dont elle aurait sans doute été incapable en d'autres circonstances, elle enfouit son front contre l'épaule de son ami et se mit à pleurer nerveusement.

— Toi, répéta-t-elle y croyant à peine. Mais… comment ?

Pour fêter leurs retrouvailles, Griffo poussa un grondement qui ressemblait à un rire. Comme il sautait sur place pour marquer sa joie, il remarqua que les soldats en uniformes gris – ceux de *Critone* – étaient remplacés par d'autres hommes, ceux-là vêtus de noir. Son grondement joyeux mourut dans sa gorge et il se raidit.

— Que faites-vous, colonel Shader ? demanda Abram Loméga en lui agrippant l'épaule.

L'officier serra le poignet du petit homme jusqu'à ce qu'il gémisse de douleur.

— Mon devoir !

Le directeur blêmit. Ses pires craintes se réalisaient. Il échangea un regard avec monsieur Dyvino qui venait de suivre le même raisonnement.

— C'est moi qui commande, ici ! déclara Abram Loméga.

Il se tourna vers ses propres agents de sécurité. Avec horreur, il vit son premier officier se faire assommer par un garde noir. Il allait ouvrir la bouche pour hurler un ordre quand il sentit le canon froid d'un pistolaser contre sa nuque.

— Ne faites pas l'imbécile. Cette fille et son lion doivent mourir.

S'adressant à ses propres soldats, Shader ordonna :

— Pas de pitié. Feu à volonté !

Illuminant les cargos et faisant trembler le sol, les premiers tirs de laser retentirent à quelques pas de Storine. Éridess redressa la tête. Dans les rangs des soldats qui leur tiraient dessus, il y avait du mouvement. Plusieurs hommes ne semblaient pas d'accord avec leur chef. Il aperçut entre autres un vieillard dépenaillé, armé d'un long bâton de cérémonie, qui cherchait à briser le mur de soldats.

— Que se passe-t-il ? bredouilla Storine en cherchant à se remettre debout.

Son ami la força à rester accroupie derrière l'aile d'un croiseur. Griffo aussi s'était mis à couvert, ce qui ne l'empêchait pas de gronder de rage. Sous le fracas des tirs de laser, ils entendirent des éclats de voix.

— Saisissez-vous de ce fou ! criait le colonel Shader en pestant contre le vieux médium.

Éridess prit Storine par le poignet et la tira derrière un empilement de bacs métalliques.

— Ils n'avancent plus ! remarqua la jeune fille en luttant contre un étourdissement.

Griffo songea un moment à foncer droit devant pour renverser ces hommes qui les défiaient, mais Storine, sans doute pour se rassurer, s'accrocha à lui.

— Monte sur Griffo, ordonna Éridess en lui faisant la courte échelle.

Encore secouée par sa longue transe cauchemardesque, elle obéit sans discuter. Le jeune Phobien rabattit la visière de son mnénotron sur son visage et, étirant son bras gauche au maximum, il récupéra le manche du sabre psychique que Storine avait laissé tomber.

— Tiens, on pourrait en avoir besoin !

Couchée sur l'encolure du fauve tandis que les gardes noirs, s'étant débarrassés de l'illuminé, tentaient de les encercler, elle interrogea :

— Et maintenant ?

— Il faut fuir.

— Mais…

Allumant son mnénotron, il sourit :

— T'inquiète pas et file en direction de la grande verrière.

Storine jeta un coup d'œil par-delà les hautes silhouettes des vaisseaux composant la flotte du cirque Tellarus. Excités par toute cette agitation, les fauves, un moment calmés par les dompteurs, se remirent à hurler à la mort. Sentant que leur colère pouvait les aider à semer encore plus de confusion, Storine demanda à Griffo de rugir afin de les exciter davantage.

Comme les traits de laser se rapprochaient de leur fragile rempart de caisses, elle tendit la main à Éridess.

— Allez, monte !

— Non.

Stupéfaite, elle le dévisagea.

— J'ai bricolé quelque chose, lui dit-il. Va, je te rejoins. À l'extrémité de la verrière, tu trouveras une enfilade de corridors. Attends-moi là !

Et il frappa la croupe du lion.

En louvoyant entre les appareils, Storine le vit sortir de leur abri et faire face aux soldats qui chargeaient.

Derrière elle éclatèrent des tirs de laser. Un instant, elle pensa qu'Éridess s'était sacrifié pour la sauver. Mais elle connaissait bien son ami. Il était brave à sa façon, mais pas fou. Et puis, plus que tout, il tenait à la vie. Rassurée, elle s'agrippa à la crinière de Griffo.

Les soldats furent étonnés de voir ce frêle jeune homme s'offrir au feu de leurs armes. Ils le furent encore davantage quand un faisceau de lumière, jaillissant du mnénotron qu'il portait en visière, vint les éblouir tel un éclair aveuglant. Frappés de plein fouet, ils continuèrent à tirer dans le plus grand désordre. Une minute plus tard, leurs yeux cessèrent de les brûler, mais l'adolescent avait disparu, de même que la fille et son lion.

Le plan d'Éridess était simple : fuir la station *Critone*. Comment ? Au fil de ses explorations, il avait étudié son fonctionnement. Il savait, entre autres, que les ouvriers étaient transportés chaque matin à l'intérieur des trois météorites au moyen de trains spéciaux voyageant sur coussins d'air. Ces wagons vitrés étaient propulsés à très haute vitesse dans les nombreux tentacules de vitranium, sorte de verre ultrarésistant, suspendus dans l'espace et reliant chaque météorite à la station proprement dite. Dans ces mêmes tubes, longs de dizaines de kilomètres, étaient également acheminé, au moyen de bennes blindées, le minerai extrait qui était raffiné ensuite à bord de la station. Éridess savait également que chaque météorite possédait son propre port spatial, et que le long de ces embarcadères attendaient des navettes de transport affrétées par la compagnie Roc Imperex.

— Tu veux qu'on vole une de ces navettes ? lui demanda Storine tandis qu'ils débouchaient sur le quai de la ligne de transport conduisant sur Étanos, le plus petit des trois météorites.

Essoufflé, Éridess ne répondit pas. Mais Storine le connaissait assez pour savoir qu'elle avait vu juste. Et puis, elle trouvait l'idée amusante.

À l'instant où ils s'apprêtaient à monter à bord du train, une dizaine de gardes noirs jaillirent d'un des passages adjacents et ouvrirent le feu. Au dernier moment, la porte d'accès se referma, forçant Storine, Griffo et Éridess à contourner le wagon et à descendre sur les rails magnétiques.

— Tirez sur les lignes à haute tension ! ordonna le colonel Shader.

Une pluie d'étincelles illumina le quai. À son extrémité s'ouvrait le tunnel de vitranium qui bondissait hors de la station, en plein vide sidéral.

À cette heure, tous les mineurs avaient déjà entamé leur quart de travail.

« Tant mieux, songea Shirf Shader. Comme ça, les dommages collatéraux seront moins importants, on pourra tirer sans retenue. »

Soudain, comme il passait devant un plan holographique des différentes rames de trains, il resta songeur…

— Ils sont à nos trousses, haleta Éridess tandis que Storine, toujours montée en croupe, encourageait Griffo à longer le train jusqu'à ce qu'ils trouvent une porte ouverte ou bien une issue qu'elle pourrait forcer en utilisant son sabre pour monter à bord.

Désespérée de n'en trouver aucune, elle se retourna.

— Tu es sûr qu'on peut s'échapper par là ?

Une main sur sa poitrine, Éridess était à bout de souffle. Son cœur battait à tout rompre. Sa vue se brouillait. Il n'était plus certain de rien.

— Si on monte à bord de ce train, je crois que je pourrais le mettre en marche.

Trouvant enfin un sas, Storine dégaina son sabre et l'alluma.

— Ferme les yeux !

Puis elle abattit sa lame sur la serrure électronique.

— Attendez !

Les soldats, qui s'apprêtaient à investir les wagons vides, s'immobilisèrent. Deux d'entre eux se retournèrent et restèrent ébahis devant l'expression de leur supérieur.

Shader souriait. Un sourire grave qui jetait une lumière blafarde sur son visage d'ordinaire sec et froid. Débouchant à leur tour sur le quai désert, Abram Loméga, monsieur Dyvino ainsi que Touméneb, le médium, faillirent se heurter au colonel Shader.

— Où sont-ils ? demanda Loméga.

Shader éclata d'un rire sinistre. Peu après, le train s'ébranla lourdement, comme s'il n'avait pas été utilisé depuis des mois.

Ce qui était précisément le cas.

— Reculez, vous autres ! ordonna-t-il à ses soldats.

Devant leurs expressions médusées, il se tourna vers le directeur. Le train magnétique s'élança sur les rails. Quelques secondes plus tard, il bondissait dans le tentacule vitré qui reliait la station au météorite Étanos.

— Alors, mon cher directeur ! s'enquit joyeusement Shirf Shader.

Loméga serrait les dents. Devant l'incongruité de la situation, Dyvino l'interrogea du regard.

— Ils sont perdus, déclara alors Abram Loméga.

— Comment cela, perdus ?

— Il s'avère, cher monsieur, expliqua Shader en se tournant vers Dyvino, que cette ligne est désafectée depuis que cette partie du météorite a été vidée de son minerai de brinium. Son point d'arrimage sur Étanos aboutit à une mine condamnée. (Il jeta un bref coup d'œil à Loméga qui blémissait.) Pour le reste, je ne peux vous en dire davantage.

Il ajouta à l'intention de ses hommes :

— Gardes, regagnez votre unité dans le hangar principal.

— Pourquoi cette mine désaffectée est-elle si dangereuse, Loméga ? interrogea Dyvino d'une voix blanche.

Comme s'il portait le poids de la station entière sur ses frêles épaules, Abram Loméga lui tourna le dos. Dyvino dévisagea alors Touméneb. Celui-ci semblait en transe. Tandis que Shirf Shader n'en finissait pas de rire (autant de contentement que de soulagement), le médium, lui, souriait…

Plus tard, quand l'équipe vidéo travaillant pour le cirque Tellarus vint rejoindre monsieur Dyvino, celui-ci retrouva quelques raisons d'espérer.

— Monsieur le directeur, lui dit le réalisateur d'un ton jovial, je vous informe que notre équipe a filmé une grande partie de ce qui s'est passé, aujourd'hui, dans le hangar.

Dyvino visualisa le film.

On y voyait distinctement Storine et Griffo affrontant les soldats de la station.

— La Lionne blanche de la prophétie, ne put s'empêcher de dire Touméneb, également présent.

Touché par le courage et l'énergie de cette jeune fille, Dyvino, qui sentait bien que le colonel Shader pourrait bientôt rire jaune, décida de faire quelque chose pour aider la cause de l'Élue. À cet instant précis il sentit que son rôle, si modeste fût-il, pouvait peser très lourd dans le destin de l'empire.

Cette sensation était si vivace qu'il en fut illuminé de l'intérieur.

— Faites des copies du disque original et envoyez-les de ma part à tous les médias importants de l'empire, déclara monsieur Dyvino. Envoyez-en aussi à la maison mère du Saint Collège des maîtres missionnaires, sur Ésotéria, ainsi qu'au palais impérial de Luminéa.

Il prit une profonde inspiration et ajouta à l'attention de son majordome :

— Annulez nos prochaines représentations. Nous restons sur *Critone* encore quelque temps…

8

L'antre de glace

À bord du train magnétique qui filait tel un bolide dans le tentacule vitré en direction de l'astéroïde, Storine avait désespérément cherché quelque chose à boire. Elle était assoiffée. Depuis que Rakio avait désactivé le champ d'énergie et qu'elle avait récupéré son sabre psychique ; depuis que sa folle transe avait éclaté comme une bulle.

Heureusement qu'Éridess était parvenu à mettre ce bahut bringuebalant en marche ! En découvrant, dans un des wagons, un ancien distributeur d'eau et de jus de fruits, elle songea à ce qui se serait produit s'ils n'avaient pas pu s'échapper. Elle dégaina son sabre, ordonna mentalement à sa lame de sortir de son fourreau, puis elle l'abattit sur la machine encastrée dans la paroi du train.

« Ces gardes noirs sont sûrement envoyés par Anastara. Elle veut me voir morte », songea-t-elle.

En regardant les bancs vides ternis de poussière et le plancher maculé de saleté, elle se fit la réflexion que la compagnie Roc Imperex se moquait bien du confort de ses mineurs. Elle prit autant de bouteilles d'eau que possible. Comme elle avait dû défoncer la vitre du distributeur à coups de sabre, elle prévint Griffo :

— Fais attention à ne pas marcher sur des éclats de verre !

Le lion gronda gentiment puis lui adressa ce sourire qu'elle aimait tellement voir sur sa face poilue. C'est lui qui l'avait délivrée de sa transe. « En me bousculant, l'animal ! » Elle lui sourit en retour et songea que cette merveilleuse connivence, entre eux, était sans doute la plus belle chose qui lui soit arrivée de toute sa vie.

« Avec Solarion, bien sûr, ne put-elle s'empêcher d'ajouter en éprouvant aussitôt un pincement au cœur. Et aussi mon amitié avec Éridess. »

En regagnant le poste de pilotage, elle resta un instant surprise de voir que son ami tenait fermement les commandes à deux mains.

« Super ! Ainsi, son bras gauche a fini de se régénérer ! » Comme le moment était mal choisi pour les confidences, elle posa près de lui une de ses bouteilles.

— J'ai pris de l'eau pure. Ça désaltère davantage que ces fichus trucs sucrés pleins de produits chimiques.

Le train filait à toute allure dans l'interminable tentacule. À un certain moment, Storine se crut projetée dans l'espace sidéral. Autour d'eux se croisaient d'autres tunnels en vitranium ; certains contenaient des trains semblables au leur, d'autres non. Tous ces bras jetés dans le vide comme des ponts suspendus lui donnaient un peu le vertige.

— Et c'est où, le terminus ? demanda-t-elle en buvant avec délice une gorgée d'eau.

Les traits tirés, le jeune homme semblait contrarié.

— Je vais te dire quelque chose de vraiment déprimant, Sto. Mais, surtout, reste calme.

Le cœur de la jeune fille sauta dans sa poitrine. Malgré l'eau fraîche, sa gorge se dessécha.

En une fraction de seconde, elle comprit pourquoi ce train paraissait si sale ; pourquoi leur fuite lui avait semblée si aisée. Refusant la défaite, elle se pencha sur les diagrammes du tableau de bord et posa un doigt sur le symbole de la station d'arrivée, à l'intérieur d'Étanos.

Se comprenant à mi-mot, ils se dévisagèrent.

— Je suis désolé, Sto, se contenta de dire Éridess.

— Et alors, en fin de compte, il n'y avait pas de quoi paniquer !

Sabre au clair, les sens aux aguets, Storine sortit du train. Contrairement aux prédictions alarmistes d'Éridess, ils ne s'étaient ni écrasés contre des bornes de terminus ni aplatis contre une paroi rocheuse.

La station d'arrivage était certes désaffectée, mais elle existait encore. L'électricité fonctionnait par intermittence, le système de climatisation avait rendu l'âme, des débris de toutes sortes jonchaient le quai. Aménagée dans le flanc d'une montagne à l'intérieur même du météorite, la gare conservait les traces d'une installation simple mais efficace. Sur les quais, des bancs recouverts de poussière attendaient toujours les voyageurs.

Quelques vitres du bâtiment étaient brisées ; d'autres si maculées de saletés que Storine fut incapable de voir au travers. De petites lampes d'appoint, sans doute un système auxiliaire de survie qui – ô miracle ! – fonctionnait encore, éclairait le décor surréaliste d'une petite touche écarlate. En se postant devant la grande baie vitrée qui, bien que fissurée en plusieurs endroits, n'avait pas cédé aux ravages du temps, ils contemplèrent, par-delà l'espace, le réseau complexe des tentacules de transport et, en arrière-plan, le complexe minier de *Critone*.

Ragaillardie par le fait de n'être plus la prisonnière de Béneb et de Rakio, ces deux mollusques, Storine se força à garder le moral :

— Tu dramatises toujours, Éri. D'accord, ce météorite n'est plus en activité. OK, c'est désert, ici. Mais nous sommes vivants et libres de traverser ce fichu caillou pour nous rendre au port des navettes dont tu m'as parlé.

Son éternel mnénotron sur le nez, Éridess ressemblait plus que jamais à un crapaud verdâtre monté sur pattes.

— Tu nous cherches quoi, comme autres ennuis, là ?

Le jeune Phobien inspectait la paroi rocheuse contre laquelle avait été édifiée la

station. Dubitatif, il refit ses calculs holographiques.

— Sto ?

La sachant suivie de près par Griffo, il
entendit son amie fouiller le bâtiment et
s'écrier, sur un ton faussement déçu :

— Il n'y a rien à manger dans cette gare ?

— Sto, je regrette de te dire ça, mais faire
de l'humour ne changera rien à notre situation. (Elle ressortit du bâtiment en jouant
avec son sabre.) Tu vois ces fragmentations,
dans la roche ?

D'où provenait cette sensation d'allégresse, qu'elle ressentait dans son âme ?
Nostalgique, elle contempla l'espace infini.

— Dis, ils ne semblent pas nous avoir
suivis ! déclara-t-elle en songeant que l'humour ne changeait peut-être rien à la réalité
de la situation, mais qu'est-ce que ça faisait
du bien de se faire croire que tout allait pour
le mieux !

Le dos voûté, son viseur posé presque
contre la roche, Éridess analysait en grom-
melant ces fissures dont il voulait lui parler.
Convaincue que nul danger ne les menaçait
plus – « Une fois n'est pas coutume ! » –, Storine
s'accroupit au sol devant la baie vitrée donnant sur l'espace. Griffo l'imita et elle laissa

reposer sa tête contre son flanc chaud et moelleux. L'air était lourd, empoussiéré, mais elle le respira tout de même avec délice.

— Tu crois qu'ils ont cessé l'exploitation de cette mine parce qu'elle ne contenait plus aucun minerai ? demanda-t-elle.

Comme son ami lui répondait par ses éternels grognements indistincts, elle réalisa soudain que sa joie, son apparente tranquillité d'esprit, tenait au fait que Griffo, mais aussi Éridess, se trouvaient à ses côtés.

« Griffo, Éri, moi », se dit-elle tout naturellement.

Cela faisait des années qu'ils voyageaient ensemble.

— Tu sais à quoi cet endroit me fait penser ? déclara-t-elle tout haut en se servant du ventre de Griffo comme d'un oreiller. Au château de lave de ton père.

Éridess, de plus en plus inquiet des résultats de ses analyses, resta muet de surprise. C'était la première fois que Storine faisait référence à autre chose qu'à Solarion alors qu'elle parlait de la planète Phobia.

— C'est aussi triste, aussi noir, aussi lugubre.

Elle en parlait pourtant sur un ton léger. Éridess songea combien la vie était surprenante.

Alors qu'ils auraient dû élaborer un plan pour quitter cet endroit au plus vite, voilà qu'ils entamaient tous deux une discussion de salon. Le jeune homme jeta un bref coup d'œil en direction de la baie vitrée. Storine était tranquillement allongée contre Griffo et elle buvait son eau à petites gorgées en contemplant l'espace.

« Elle a toujours aimé faire ça », se dit-il.

Considérant les circonstances de leurs retrouvailles, il n'avait pas encore trouvé le temps de lui expliquer comment il avait fait pour la retrouver sur *Critone*. « Et elle ne me l'a pas encore demandé. Peut-être pense-t-elle que c'est tout naturel que je la retrouve n'importe où. » Pourtant, malgré les chiffres alarmants qui s'inscrivaient en rouge sur le lecteur holographique de sa visière, il souhaitait de toutes ses forces que Storine continue à parler de leur passé commun. Ces accès de nostalgie étaient si rares, si précieux, que les partager avec elle le comblait de bonheur.

« Même s'il ne nous reste plus que quelques heures à vivre… »

— Tu te rappelles, Éri ! La première fois que je t'ai vu… En fait, je ne t'ai pas vu. Il faisait noir, Eldride et moi, on marchait dans le couloir des damnés. Et puis tu es venu, tu nous as guidées. «Je suis le maître de ces lieux», nous as-tu dit!

Éridess se rappelait parfaitement de leur rencontre. À cette époque, il vivait seul avec son père, ses guerriers sans âme et les esclaves qu'il ramenait de ses expéditions. Seul et sans amis, doué du toucher thérapeutique mais amputé d'un bras. Aujourd'hui, grâce au génie de leurs amis, Lâane et Florus (et aussi grâce à l'aide de Var Korum, le savant totonite), il possédait un nouveau bras, fait, celui-ci, de chair et de sang, et non plus une vulgaire prothèse de métal et de composants électroniques.

Mais elle se trompait. La première fois qu'il l'avait vue, ce n'était pas dans le couloir des damnés mais dans une cellule. Elle était attachée. Elle venait d'être torturée. Des brûlures causées par le venin des typhrouns géants lui avaient meurtri les épaules, le cou, les bras et le ventre. Il le lui dit. Elle resta silencieuse pendant quelques instants, écoutant, recueillie, ce silence oppressant qui pesait sur eux et dont elle prenait douloureusement conscience.

— Et tu m'as soignée. Je m'en souviens, finit-elle par admettre.

Comment en était-elle venue à parler de sa rencontre avec Éridess alors qu'elle mourait d'envie de l'interroger au sujet de Solarion.

«Que devient-il? Pense-t-il à moi? Est-il avec Anastara maintenant que je ne suis plus là?»

Curieusement, elle n'éprouvait pas le besoin de demander à son ami la raison de sa présence sur *Critone* ni comment il avait pu la retrouver. Éridess était intelligent. Il avait dû suivre une piste. Il avait simplement traversé l'espace pour la retrouver, pour veiller sur elle comme il le faisait depuis l'explosion de Phobianapolis. À cet instant, malgré le froid qui tombait sur ses épaules, malgré sa détresse et son chagrin de penser que Solarion l'avait peut-être déjà oubliée, elle voulut se lever et rejoindre Éridess. «Que fabrique-t-il, son mnénotron sur le nez?» Le rejoindre et le serrer amicalement dans ses bras. Lui dire: «Tu es venu, tu as traversé l'espace pour me retrouver malgré ma décision de rester seule. Tu es mon seul ami. Merci d'être là.»

Mais elle ne bougea pas. Le ventre de Griffo était bien trop confortable et elle sentait confusément que ce ne serait pas un service à rendre à Éridess. Au fil de leurs aventures, il était tombé amoureux d'elle ; spécialement sur Delax, au collège. Quand il avait compris qu'elle ne l'aimerait jamais autrement que comme un ami ou un frère, il l'avait honteusement trahie. « Aidé en cela par Anastara. » Mais depuis leur périple sur la planète fantôme d'Ébraïs, il semblait avoir accepté son statut d'ami unique et privilégié… sans plus.

« Alors, pourquoi lui donner de faux espoirs ? »

N'empêche, elle se sentait d'humeur joyeuse. Les effets de la drogue s'estompaient, elle n'avait presque plus mal à la tête et sa grippe de l'espace, contractée sur le rocher d'Argonia, n'était plus qu'un mauvais souvenir. Quand elle rouvrit les yeux, Éridess était planté devant elle. Heureux comme un nouveau-né, Griffo ronronnait si fort qu'elle ne l'avait pas entendu s'approcher.

Elle se redressa.

— Éri, je…

Mais devant son air sombre, elle se tut.

— Je sais que tu planes, là, mais veux-tu entendre la vérité, oui ou non ?

— La vérité ?

— Les soldats voulaient ta peau et personne ne nous a poursuivis. Tu trouves ça normal ?

Presque terrorisé par ce qu'il s'apprêtait à lui dire, Éridess s'éclaircit la gorge :

— Cette gare ne s'est pas transformée en ruine en un an ou même deux, Sto ! Ces fissures, dans la roche, sont le signe d'une activité sismique importante. Même s'il n'est plus prospecté, ce météorite n'est pas mort, il n'est pas vide. J'ai trouvé des traces de pas récentes. Nous ne sommes pas seuls ici.

Il posa devant elle une pierre noire qui vibrait doucement et ajouta sombrement :

— Mais le plus grave, ce sont ces roches, tout autour de nous. Elles sont radioactives, Sto. Elles émettent un taux mortel de radiations. Désolé de te dire ça, mais nous sommes irrémédiablement contaminés.

Un silence glacial suivit cette déclaration fracassante. D'ailleurs, ne faisait-il pas plus froid, soudain ? Storine serra les pans de sa cape contre son corps. Les petites lumières d'urgence clignotaient, là-bas sur le quai, éclaboussant furtivement les parois crasseuses de leur train de misère. Devant, il y avait la baie vitrée, la masse métallique de la station, les deux autres météorites – encore en exploitation, ceux-là –, et puis, à des années-lumière de distance, quelques étoiles piquées sur la toile bleue et noire de l'espace, comme des diamants sur une étoffe.

— Tu sais ce que cela signifie ? ajouta Éridess.

Griffo, qui sentait que quelque chose de grave venait de se produire, avait cessé de ronronner. À présent, il dressait les oreilles. « La gauche est un poil plus courte que la droite, se dit Storine, mais maintenant qu'il est adulte ça ne se voit presque plus. »

— La radioactivité, c'est radical. Ça te cuit un bonhomme en un rien de temps.

Griffo se redressa soudain et tendit sa grosse tête en direction du quai.

— Nous ne pourrons plus sortir d'ici. Tes copains, les gardes noirs, ont sûrement scellé les accès du tunnel. Même si nous traversons le météorite, personne ne nous laissera ressortir de l'autre côté.

Le lion flaira à gauche, à droite, puis il se mit à gronder.

— Même Griffo a compris ! poursuivit Éridess. Le brinium est un minerai dont on extrait un cristal très rare. Celui-là même qui alimente en énergie les moteurs permettant aux croiseurs impériaux de voyager dans l'hyperespace. Mais il y a plus important encore…

Storine sentit le danger en même temps que Griffo. Elle sauta sur ses pieds et alluma son sabre psychique. La lumière incandescente de sa lame lécha la paroi de roches suintantes d'humidité. Faisant soudain volte-face en direction du quai, elle s'écria :

— À couvert !

— Hein ?

Comme elle venait de percevoir un mouvement derrière le bâtiment constituant la gare d'Étanos, elle poussa son ami de côté.

Griffo rugit. Une créature bondit sur la jeune fille comme un animal. Storine tendit son sabre à bout de bras et frappa. Son agresseur hurla de douleur et d'effroi. Deux secondes plus tard, il avait disparu. Alors que le rugissement du fauve se répercutait à l'infini dans la vaste caverne creusée durant tant d'années par les mineurs, Éridess se demandait encore ce qui venait de se produire.

Marchant tel un automate – il avait gardé son mnénotron sur son nez –, il rejoignit Storine encore tremblante de peur et de rage. Il buta contre une sorte de tube tombé sur le sol durant le bref assaut de la créature.

— Ça va ? demanda-t-il en se baissant pour examiner l'étrange objet.

Ça avait l'air à la fois souple, mou et tiède. Dans la semi-obscurité, Éridess reconnut la rugosité d'un tissu, puis une sorte de liquide gluant.

Il se redressa soudain et hurla.

— Qu'est-ce que c'était ? s'enquit Storine en se tournant lentement, son sabre prêt à trancher n'importe quoi ou n'importe qui.

Après avoir inspecté les environs, Griffo revenait vers eux. Comme il ne grondait plus que par intermittence, Storine comprit que la créature avait regagné les ténèbres.

Éridess déglutit.

— Tu veux savoir comment les radiations de brinium vont nous transformer ? Tiens, regarde un peu ceci !

Storine approcha la lame de son sabre de la chose que lui désignait son ami. Dégoûtée devant le membre ensanglanté qu'elle venait de trancher du corps de la créature, elle eut un haut-le-cœur.

— C'est un bras. La chair présente un état de putréfaction et de décomposition avancé.

— Tu veux dire qu'ils se décomposent… vivants !

Éridess ne répondit pas. La situation était suffisamment claire comme ça ; inutile d'en rajouter.

— Si j'avais su qu'en te retrouvant je signais mon arrêt de mort, je ne serais pas venu.

Mais en disant cela, le jeune Phobien savait bien qu'il se mentait à lui-même. Il serait venu. Dix fois, s'il avait fallu. Car chaque instant passé auprès de Storine et de Griffo, sa seule famille, le rendait profondément heureux.

« Oui, on peut dire les choses comme ça », songea-t-il.

Storine s'était accroupie. Revenue de son dégoût, elle contemplait le membre sectionné. Ses yeux verts lançaient des éclairs.

— Tu te trompes. Nous n'allons pas mourir ici. Les gardes noirs nous ont piégés, mais nous allons nous en sortir.

— Et qu'est-ce qui te permet d'être aussi optimiste ?

Elle se redressa, éteignit son sabre. Il sentit qu'elle prenait une profonde inspiration.

— Je suis l'Élue, Éri. J'ai une mission à accomplir. Je ne peux pas mourir.

Elle le fixa droit dans les yeux.

— Tu m'as dit tout à l'heure que tu avais repéré des traces de pas. Il y a de la vie sur ce météorite. (Elle rangea son sabre dans la poche intérieure de sa cape, en sortit le petit manuscrit de Vina.) Sherkaya m'a prédit que j'allais accomplir des miracles. Je ne sais pas ce qu'elle entendait par là, mais s'il y a une chose dont je suis certaine, c'est qu'il nous faut retrouver cette créature blessée.

— Tu es folle !

— Elle nous mènera aux siens.

— Pas de doute, tu es folle.

Elle lui sourit dans la pénombre.

— Ça, tu le sais depuis des années. Alors tais-toi et suis-moi si tu veux vivre !

9

Les Interdits

Ils marchèrent longtemps sur des sentiers rocailleux creusés dans des parois vertigineuses par des machines faites de main d'homme. Éridess, qui portait en visière son éternel mnénotron, voyait le paysage en dégradés de rouge ; pour Storine et Griffo, dont la seule lumière pour les guider provenait de la lame du sabre psychique, le sentier, surplombé par de hautes falaises découpées au couteau, ressemblait à un chemin sinueux conduisant tout droit en enfer.

Sentant l'anxiété de son amie, Éridess proposa :

— Tu veux mon mnénotron ?

Storine grommela une réponse indistincte. Cela faisait des heures qu'ils avaient quitté la gare d'Étanos et qu'ils erraient dans cette immense caverne dont les plafonds étaient si hauts, parfois, qu'ils pouvaient faire penser à des cieux inaccessibles et mystérieux. De temps à autre, ils découvraient une ancienne coulée de brinium. Le jeune Phobien se penchait sur la paroi et, en évitant tout contact avec la roche, analysait les filons abandonnés par les mineurs.

— Ils ont raclé le minerai jusqu'à la croûte. L'indice de radioactivité est au plus bas, mais ça reste quand même dangereux pour nous. L'air lui-même en est saturé.

Justement ! D'où provenait l'oxygène contenu dans l'air qu'ils respiraient ? Éridess était bien incapable de répondre à cette question. Pourtant, surtout pour leur faire oublier combien ils avaient été stupides de laisser derrière eux le confort relatif et la sécurité précaire que leur offrait la gare d'arrivage, Éridess émit une hypothèse :

— Ce météorite n'est qu'un immense caillou dans l'espace, rongé pendant des années par des milliers de mineurs. Pour que ce travail se fasse dans les meilleures conditions, la compagnie a sûrement dû installer, un peu partout, des générateurs d'oxygène. Il réfléchit quelques instants tandis que Storine

éteignait son sabre. Tu me diras, ces générateurs ne peuvent pas rendre respirable un
espace aussi immense. (Il claqua des doigts.)
Mais oui !

Storine se sentait très fatiguée. Non qu'elle
soit physiquement épuisée. Encore que…

« Je me sens si faible que j'ai du mal à
mettre un pied devant l'autre. »

Éridess émettait l'hypothèse que les
autorités de *Critone* avaient sûrement, durant
toutes les années pendant lesquelles elles
avaient exploité le météorite, fourni celui-ci
en oxygène. Peut-être existait-il d'énormes
conduites d'air connectées à *Critone* qui
alimentaient Étanos en oxygène encore
aujourd'hui.

— Ce que je ne comprends pas, c'est
pourquoi des tentacules transportant de l'air
sur Étanos fonctionneraient encore, puisque
le météorite n'est plus exploité.

Storine n'écoutait que d'une seule oreille.
À force d'utiliser son sabre à la manière d'une
torche, elle épuisait ses forces psychiques.

— Griffo ! implora-t-elle, au bord de
l'évanouissement.

Le fauve, qui marchait en éclaireur, fit
immédiatement demi-tour. Éridess aida Storine
à se hisser sur son encolure. Ils échangèrent

un bref regard. Avaient-ils fait une erreur en quittant le bâtiment de la gare ? Et s'il n'y avait personne à l'intérieur de ce rocher de l'espace ?

« Chaque minute qui passe, les radiations de brinium affaiblissent notre système immunitaire. »

De plus en plus inquiet, l'adolescent se plongea dans le rapport de l'analyse biologique et spectrographique que lui livraient les senseurs intégrés à son mnénotron. Storine se demandait comment cet appareil pouvait bien fonctionner, car contrairement à l'époque où ils vivaient à bord du *Mirlira II,* le mnénotron n'était relié à aucun ordinateur. Soudain, un cri terrible déchira l'obscurité.

Stupéfaits, ils se dévisagèrent.

— Ça vient de derrière cette falaise !

Ils gravirent en courant le raidillon sinueux. Parvenus au sommet, ils embrassèrent du regard une plaine immense parsemée d'îlots de roches et de hauts monticules taillés comme des pierres précieuses. Le plus étonnant, cependant, était cette lumière violacée qui sourdait de ces éminences acérées et qui dévoilait…

— Une ville ! s'exclama Storine, stupéfaite.

— Plutôt un camp de fortune, précisa Éridess en faisant un plan rapproché des lieux.

Le cri s'éleva de nouveau.

— D'après la lecture auditive de mon mnénotron, déclara le jeune Phobien, ça vient de cet endroit. De ce... village, appelons-le comme ça. Il est situé à environ deux kilomètres. Mais en tenant compte de l'altitude où nous nous trouvons et en marchant sans trop nous presser, nous devrions y être dans trois quarts d'heure.

Storine se demanda si les créatures qui vivaient dans la plaine ressemblaient toutes à celle contre laquelle elle s'était battue dans la gare d'Étanos.

Comme Griffo grondait à s'en décrocher la mâchoire, Storine ralluma son sabre psychique. À la faible lueur rougeâtre dégagée par la lame, la jeune fille comprit qu'ils ne risqueraient pas de se perdre en chemin.

— Regarde !

Une douzaine de créatures armées de pierres et de longs bâtons les encerclaient. Storine aperçut leurs corps vêtus de haillons, leurs membres marbrés de plaies à vif et de croûtes ensanglantées, leurs faces sales et hirsutes. Étaient-ce des hommes ou des bêtes ?

Sachant qu'elle était trop faible pour leur opposer une quelconque résistance, elle conseilla mentalement à Griffo de se calmer. En apercevant leur escorte, Éridess étouffa un cri d'épouvante qui se perdit dans celui, hurlé pour la troisième fois, de la créature inconnue.

Poussé dans le dos par un de leurs geôliers, Éridess suivit Storine et Griffo sur le sentier qui conduisait à la plaine.

— Cette femme est en train d'accoucher, chuchota Storine en s'appuyant contre la paroi lisse et blanche.

Ils étaient arrivés dans le camp une vingtaine de minutes plus tôt, silencieusement escortés par ces créatures à l'apparence humaine, sans savoir quel sort leur serait réservé.

— Cet endroit ressemble à un camp de réfugiés, répondit Éridess en frissonnant, tant le spectacle de cette femme qui essayait de donner la vie était affligeant.

Ils n'avaient senti aucune acrimonie, ni haine ni suspicion, de la part de leurs geôliers.

« Ce qui est surprenant, quand on pense que j'ai peut-être tué l'un des leurs », songea Storine en prenant le bras de son ami.

L'air empesé qui régnait dans la petite cabane lui soulevait le cœur. Accroupies autour d'une couche de fortune, plusieurs autres créatures – des femelles – gémissaient doucement tandis que l'une d'elles faisait office de sage-femme. Les événements s'étaient déroulés si vite que Storine ne comprenait toujours pas pourquoi ils étaient traités avec autant de mansuétude.

« Nous sommes pourtant des intrus. »

Éridess avait raison. Ce village n'était qu'un camp de fortune. Une rue centrale le long de laquelle s'articulaient des bâtiments assemblés à partir de conteneurs en métal ou en plastiques, de formes rondes ou ovales et provenant, pour la plupart, d'anciennes unités préfabriquées. Comme beaucoup d'entre eux portaient les sigles de la station *Critone* et de la compagnie minière Roc Imperex, ce nouveau mystère s'ajoutait aux autres.

« Le tout monté, ficelé et aménagé sur un sol rocailleux entouré de hauts tumulus lumineux, au cœur d'une caverne si immense qu'on la prendrait presque pour une véritable plaine nocturne à ciel ouvert. »

Cette colonie de créatures en décomposition était si étrange que Storine se sentait oppressée et anxieuse.

Éridess lui fit remarquer que la structure du camp donnait à penser que ces êtres n'avaient pas senti le besoin de fortifier leurs installations. En conséquence, ils ne craignaient aucun prédateur.

La femme enceinte poussa un autre cri déchirant. Une vie nouvelle pouvait-elle vraiment naître de ce corps mutilé et purulent ? Les femmes rassemblées dans la cabane trempaient des linges dans une bassine d'eau aux reflets bleutés.

— Pourquoi crois-tu qu'on nous a amenés ici ?

La question d'Éridess n'était pas sans fondement. Un pleur perçant se joignit à celui de la créature écartelée.

La sage-femme présenta son bébé à la nouvelle maman. Une clameur d'allégresse s'éleva dans la petite cabane et se répercuta bientôt dans tout le camp.

Plus surprenant encore, Griffo, qui avait dû rester à l'extérieur, joignit son rugissement à la clameur de joie. En tendant l'oreille, Storine comprit que son lion était d'humeur joyeuse. Cette constatation aurait dû la rassurer mais, au contraire, elle amplifia ses craintes. Comme s'il lisait en elle, Éridess résuma sa pensée :

— Dans quel monde de fous sommes-nous tombés?

Soudain, la silhouette d'un homme s'encadra dans le chambranle de la porte. Il souleva le rideau miteux et pénétra dans la cabane. En passant devant Storine, il lui jeta un bref regard. Des yeux bleus dans un visage rongé par les radiations! L'homme, car visiblement c'en était un, portait les vestiges de ce qui avait sans doute été un uniforme. Seule sa tête était recouverte d'une sorte de turban humide. Rongés à vif, les traits de son visage n'étaient plus qu'une bouillie sanglante.

L'homme se pencha sur la jeune mère. Éridess frissonna d'horreur en le voyant prendre dans sa main celle de la femme.

« Une main? Plutôt un moignon ensanglanté. »

Pensant à sa propre main gauche tout juste régénérée mais constituée de chair saine, il songea au taux de radiation qui régnait en ce lieu, et au fait qu'ils n'étaient pas à l'abri de la contamination. L'homme prit l'enfantelet dans ses bras, et l'approcha de la bassine d'eau bleutée. Il lui lava cérémonieusement le visage puis le corps.

Depuis leur arrivée, nul ne les avait touchés ni même frôlés.

« Tant mieux pour nous ! » se dit Éridess.

Un bref coup d'œil le fit grincer des dents : le nouveau-né lui-même n'était qu'un petit corps à vif, rongé par les radiations dans le ventre de sa mère avant même de commencer à vivre.

L'homme, sans doute le père, rendit le bébé à sa mère qui gémissait doucement, non plus de douleur mais de bonheur.

« Ainsi la joie peut exister, même ici ! »

Storine en eut les larmes aux yeux. Ce qui ne répondait toujours pas à sa plus inquiétante question : que faisaient-ils là ?

Quand elle s'aperçut que l'homme lui faisait face, il n'était plus question ni de reculer ni de s'enfuir, car les autres créatures du camp se rassemblaient, dehors, en glapissant des paroles incompréhensibles.

— Tu es venue !

Storine ouvrit les yeux tout grand.

La voix de l'homme était grave. En ouvrant la bouche, il ne put éviter de dévoiler des pans de sa mâchoire dénudée de chair. En apercevant cette mâchoire démantelée dont certaines dents se voyaient à travers la peau rongée, Storine ressentit une grande pitié.

— Pardon ? articula-t-elle en avalant difficilement sa salive.

L'homme la fixa pendant quelques secondes d'éternité. Puis se détournant, il tendit ses deux moignons à la sage-femme. Péniblement, celle-ci emmaillota ce qui restait de ses mains dans un linge trempé dans de l'eau bleutée. D'un geste précis, il saisit le poignet droit de Storine, qu'il retourna.

Stupéfaite, la jeune fille le vit remonter sa manche jusqu'au coude. La sage-femme approcha d'eux un creuset en pierre d'où jaillissait une mèche qui dispensait un peu de cette même lumière bleue qui sourdait également des tumulus entourant le camp.

L'homme et la femme étudièrent pendant quelques instants le symbole des Braves tatoué dans la chair de son poignet droit. L'homme dut reconnaître le symbole des pirates de Marsor, car il répéta ces mots qui avaient tant surpris Storine :

— Tu es venue !

Comme elle restait muette, il ajouta, sans la quitter des yeux :

— Je me nomme Virso-Lam, ingénieur en chef des installations minières de la Roc Imperex sur Étanos.

Sentant que Storine avait besoin de soutien, Éridess posa une main sur son épaule. Ce simple geste lui donna du courage. « Je ne comprends rien, moi non plus, signifiait-il, mais je suis avec toi. »

La jeune fille se rappela alors les paroles de la vieille Sherkaya. Et si son enlèvement, sur Argonia, puis son arrivée sur la station *Critone* n'étaient pas le fait du hasard mais la «voie de sa Destinée»? Confusément, elle commençait à y voir plus clair. Oh! pas tellement. Mais assez, en tous cas, pour répondre à cet homme, d'une voix rendue fragile par l'émotion:

— Oui, je suis venue…

Il lui sourit.

Elle aurait dû être effrayée par ce sourire décharné; elle ne le fut pas. Enroulé autour de la gorge de l'ancien ingénieur, elle vit une écharpe sur laquelle étaient peints quelques mots rédigés en ancien vinorien. Elle n'eut alors plus aucun doute: sa présence ici était prévue de longue date.

La déesse Vina ne l'avait pas abandonnée.

10

L'arbre de vie

Virso-Lam mit plusieurs jours avant de leur accorder toute sa confiance. Il y avait, chez tous ces gens, un mélange de fatalisme et de méfiance qui décuplait encore le mystère de leur présence en ces lieux. Storine et Éridess furent logés dans un gros conteneur de plastique blanc en forme de cigare et aménagé en chambre. Après une analyse complète – le jeune Phobien avait passé les lieux au peigne fin grâce à son mnénotron –, il déclara que cette unité avait dû appartenir à une sorte de station de contrôle dont le rôle était la surveillance des mineurs.

— Il n'y a pas de place pour Griffo, déclara l'adolescent tandis qu'une femme installait sur le sol poussiéreux deux matelas minuscules ainsi que des couvertures et des oreillers faits de matière synthétique.

Storine haussa les épaules. La faim au ventre et sentant peut-être que sa petite maîtresse ne courait aucun danger immédiat, le lion blanc leur avait faussé compagnie.

— Tu crois qu'il va trouver quelque chose à se mettre sous la dent ?

En tous cas, Éridess se montra extrêmement méfiant quand on leur apporta un plateau chargé d'un bol rempli d'une espèce de mélasse à saveur fruitée, ainsi que des fruits et deux cuillères qui portaient le sigle de la compagnie Roc Imperex.

— Un seul bol pour nous deux ? s'enquit Storine en s'assurant que leurs paillasses n'étaient pas infestées de vermine.

— Ça va, déclara Éridess après avoir passé leur bouillie blanchâtre au scanner de son mnénotron. Ces aliments semblent sains.

À voir son expression, cela tenait du miracle.

Ils vécurent ainsi pendant plusieurs jours sous les regards effrayants et curieux de la population. «Pas plus d'une centaine d'âmes», avait assuré Éridess.

— Mais enfin, qu'est-ce qu'ils entendent faire de nous? s'énerva-t-il au bout du troisième jour.

Storine avait perdu le compte des heures. Éridess la voyait se mettre à genoux, puis méditer. La jeune fille récitait la première formule de Vina pour entrer en contact avec la déesse afin, sans doute, de lui demander des éclaircissements. Ensuite, épuisée par l'effort, elle s'allongeait et gardait un silence de mort qui énervait son ami, car elle n'avait obtenu aucune réponse.

— Impossible, aussi, de prendre une douche, lui disait-elle en fermant les yeux.

Ce qui n'expliquait strictement rien.

En plus, Griffo n'avait toujours pas réapparu.

Le quatrième jour, enfin – Éridess tenait un compte exact de ce qu'il appelait leur «captivité» –, Virso-Lam vint les chercher. À le voir entouré de six compagnons aussi mal en point que lui et équipés de sacs, de cordages et de piquets, du matériel flambant neuf, remarqua le Phobien –, ils comprirent qu'ils partaient en expédition.

— Je veux vous montrer quelque chose, déclara le chef des Interdits.

173

Tant de questions se pressaient aux lèvres de Storine, qu'elle fut incapable d'en formuler une seule. Éridess, lui, ne s'en serait pas privé. Toutefois, il semblait que seule Storine comptait aux yeux du chef.

Ils mirent deux jours pour atteindre une chaîne de montagnes au-delà de laquelle Virso-Lam leur promettait d'importantes révélations.

— Pourquoi tu ne leur dis pas qu'avec ta couronne de lévitation, tu pourrais nous épargner l'effort d'escalader ces dangereux précipices? demanda Éridess en murmurant à l'oreille de son amie tandis que deux hommes, en prenant bien soin de ne jamais les toucher sans s'être au préalable désinfectés, leur installaient des harnais autour de la taille.

Storine lui envoya un regard noir. Il comprit alors que malgré l'attitude presque amicale de ces hommes irradiés, elle restait sur ses gardes.

Griffo les rejoignit le soir du troisième jour, silencieux comme un fantôme blanc. Avait-il trouvé à se nourrir? Cet autre mystère acheva de dérouter le pauvre Éridess.

En cours de route, puisqu'ils faisaient équipe par deux, Storine avait remarqué à plusieurs reprises que son ami tentait de communiquer avec ce que, à défaut d'autre appellation, elle nommait leur guide. Alors que le sien restait muet comme une tombe, elle voyait, de loin, à la lueur des torches électriques, qu'Éridess discutait avec l'homme qui le secondait. Que pouvaient-ils bien se raconter ?

Soudain, en pleine montagne, après avoir franchi une enfilade de tunnels taillés dans des parois laiteuses aussi lisses que la surface d'un miroir, ils débouchèrent dans une grande salle hypostyle souterraine faite de blocs de pierre au centre de laquelle s'élevait une étrange construction.

— Mais... ça ressemble à un arbre ! s'exclama Éridess.

Il en fut tellement étonné que, n'en croyant pas son mnénotron, il souleva sa visière et contempla de ses propres yeux l'étrange apparition.

L'immense salle ronde n'avait rien de naturel. Son sol carrelé de dalles rouges réverbérait une lumière produite par quatre colonnes qui scintillaient comme des torches.

Hautes d'une trentaine de mètres chacune, elles semblaient soutenir le plafond de cette salle construite au cœur de la montagne.

— Cela ne te rappelle rien, Sto? interrogea Éridess en analysant, visière sur les yeux, la composition des blocs de pierre constituant les parois de ce qui semblait être un temple.

L'auréole de silence tissée à même l'air qu'elle respirait rappela de nombreux souvenirs à Storine. Alors que les hommes s'approchaient de ce qu'ils avaient pris, à tort, pour un arbre, elle se remémora les différents endroits qu'elle avait visités au long de ses voyages dans l'espace; à commencer par le lac sacré de l'ancienne civilisation éphronienne, sur la planète Phobia.

« C'est là que Solarion et moi avons vécu la Grande Illumination du dieu Vinor. Ce lac, sur lequel s'élevaient les sept îles du pouvoir, était tout ce qui restait de cette puissante civilisation. »

Que faisaient Virso-Lam et ses hommes? Storine les vit s'agenouiller au pied de cette sculpture faite de cristaux lumineux dont l'apparence rappelait effectivement celle d'un arbre. Lentement, ils se penchèrent. Priaient-ils?

« Quoique, songea Storine, Virso-Lam ne me fait pas vraiment penser à un prêtre ! »

Éridess étudiait la composition des roches et tentait de dater l'édification de ce temple.

La jeune fille avait déjà eu cette impression de suivre une sorte de trajectoire dans l'espace. Après la planète Phobia, il y avait eu le temple cyclopéen, sur le satellite Thyrsa, près de la ville pirate de Paradius. Sur des fresques peintes, Storine avait déchiffré la première formule de Vina. Ensuite, sur la planète Yrex, dans le désert rouge, elle avait trouvé refuge à l'intérieur du temple englouti.

« J'y ai rencontré maître Santus et nous avons lu, sur une sorte de dalle, cette même première formule. »

Au cours de son voyage à bord du *Mirlira II*, pendant une escale sur la planète Vénédrah, elle avait visité les Géants de pierre. Là, dans une salle assez semblable à celle-ci, avec maître Santus, ils avaient découvert la seconde formule de Vina à laquelle le maître donnait le nom de Dredjarah.

Éridess échangea avec elle un regard de connivence. Oui, il avait raison.

« Ensuite, il y a eu la caverne de Griffo, dans le parc, sur la planète Delax, ainsi que la découverte du Mur du Destin. Et pour finir, le temple des Cristalotes, sur la sphère fantôme d'Ébraïs, où la déesse m'a révélé la troisième formule. »

Elle s'approcha de la sculpture de lumière. Virso-Lam et ses compagnons recueillaient, dans des outres en plastique marquées du sigle de la Roc Imperex, une sorte de poudre de cristal. À voir leurs mouvements lents et précis, on devinait que cette tâche relevait pour eux du sacré. Mais à quoi tout cela rimait-il ? Griffo semblait lui aussi perplexe.

— Nous suivons depuis des années un itinéraire bien établi, chuchota-t-elle en lui caressant l'échine. À chacune des formules correspond une planète et un temple.

Chaque découverte était liée à sa mission. Il restait maintenant à mettre en place les pièces de ce puzzle géant.

— Storine !

Virso-Lam se tenait devant elle. Comme il ne disait rien, elle entendit un des hommes expliquer à Éridess qu'ils utilisaient cette poudre de cristal comme purificateur. L'eau, les vêtements, les lieux ainsi que toute nourriture étaient ainsi purifiés. La jeune fille crut comprendre que cette poudre jouait un rôle primordial dans la survie de la petite communauté.

178

— Storine, je voulais vous montrer ceci.

Ce vouvoiement, après le « Tu es venue » du premier jour, sonnait bizarrement à ses oreilles.

En s'approchant d'un des longs cristaux luminescents qui composaient le tronc de l'arbre artificiel, elle lut quelques symboles que, le cœur battant, elle prononça d'une voix tremblante d'émotion :

— *Mokéna Siné Kosi Outranos.*

Elle dévisagea son interlocuteur. Son regard tomba sur l'écharpe que le chef des irradiés portait autour du cou.

— Nous avons découvert cet endroit peu après que le directeur de la station nous a condamnés à cette vie de souffrances, lui dit-il en baissant la voix.

Il reprit avant qu'elle ait pu répondre :

— J'ai recopié sur mon écharpe le texte que tu viens de lire, sans le comprendre, parce que je savais que tu viendrais.

Face à la surprise qu'il lisait dans ses yeux verts, Lam sourit. Elle fit, à ses côtés, le tour de la sculpture luminescente. Ce qu'elle découvrit par la suite la laissa muette de stupeur. Comme dans le temple cyclopéen de Paradius, comme sur les deux Murs du Destin – celui de Delax et celui, révélé par Var Korum, sur Ébraïs –, elle vit que des fresques la représentant avaient été gravées sur le tronc de l'arbre de cristal.

— Les dieux, balbutia-t-elle en reconnaissant leur style.

Plusieurs dessins la représentaient avec Griffo. Un autre montrait le symbole des Braves.

Elle dévisagea Virso-Lam.

— Comment saviez-vous que ce symbole serait tatoué sur mon poignet droit ?

— Cela n'a rien à voir avec les dieux. C'est simplement qu'un de mes frères a autrefois rejoint la flotte de Marsor. Une année, au cours d'une escale du *Grand Centaure* sur ma planète, il m'a montré son tatouage. Il avait rejoint les rangs des Braves. Bien sûr, ajouta Lam d'un ton amer, notre père considérait que mon frère était la honte de notre famille.

Storine songea qu'elle avait peut-être côtoyé le frère en question lorsqu'elle-même vivait à bord du *Grand Centaure*.

— Ça explique bien des choses, répondit-elle, en proie à mille questions lancinantes.

— Vois cette dernière gravure !

Storine s'agenouilla pour mieux la contempler. Elle représentait une foule de gens entourant… une jeune fille montée sur un grand lion blanc. D'étranges rayons lumineux stylisés et violacés partaient de la jeune fille et atteignaient la foule en extase.

— Tu es celle dont les dieux ont annoncé la venue, déclara Virso-Lam. Tu as pour mission de nous délivrer du rocher d'Étanos.

Devant son interprétation très libre des gravures divines, Storine ne put s'empêcher de souffler sur ses mèches rebelles. Sentant sa perplexité, l'Interdit ajouta :

— Je t'avoue n'y avoir jamais vraiment cru moi-même… Jusqu'à ce que mes hommes vous ramènent au camp.

Éridess surgit à cet instant. En jetant un regard distrait sur les fresques, il s'exclama :

— Mais… c'est toi et Griffo !

S'excusant auprès de Virso-Lam, Eridess entraîna son amie à part.

— Sto, c'est fantastique ! Mon mnénotron s'y perd. Impossible de dater avec précision la construction de ce temple.

— Les dieux on dû l'aménager il y a de cela des milliers d'années.

Prise d'une subite inspiration, elle tenta de mettre en mots les images qui affluaient dans son esprit.

181

— Après l'effondrement de leur civilisation, les sages d'Éphronia se sont d'abord rendus sur Paradius, puis sur Yrex, sur Vénédrah, sur Delax, sur Ébraïs, et ici même. Pourquoi ? Comment ? Je l'ignore. Mais partout ils ont laissé des traces de leur passage. Je suis sûre que si l'on pouvait creuser davantage ces montagnes, on trouverait d'autres vestiges de leur présence passée.

— Ce qui est extraordinaire, c'est que peu importe où tu vas, tu tombes précisément sur ces vestiges et, en plus, tu vois ta propre image gravée dans la pierre. Ça fait quel effet d'être annoncée par les dieux ? se moqua-t-il.

Elle haussa les épaules. Il choisissait mal son moment pour la taquiner.

— Les dieux ont semé ces vestiges comme des repères sur une carte, pour que cela me serve d'itinéraire, répliqua-t-elle. En fait, il n'y a pas de hasard. Au passage, j'apprends les différentes formules de Vina.

Elle récita celle qu'elle venait tout juste de déchiffrer.

— À quoi sert-elle ?

— Je l'ignore. Mais une chose est certaine, je suis ici pour le découvrir.

Tandis que Virso et ses hommes rembal-
laient leurs affaires pour rentrer au camp,
Éridess ajouta, l'air grave et à voix basse :

— Mon guide m'a tout raconté. Je comprends pourquoi les gardes noirs ne nous ont
pas poursuivis. Et, crois-moi, pour nous en
tirer, il va vraiment nous falloir un miracle.

11

L'irradiation

— Tu dors ?

Allongé aux côtés de Storine dans ce conteneur blanc en forme de cigare qui leur tenait lieu de chambre, Éridess gardait prudemment les bras le long de son corps. Considérant l'espace étriqué, comment aurait-il pu en être autrement ? À l'intérieur du météorite Étanos, la nuit était semblable au jour. À peine notait-on une baisse de luminosité émanant des hauts tumulus de cristal qui entouraient le camp et baignaient la plaine d'une lueur tantôt bleutée, tantôt grisâtre, le plus souvent lugubre ; surtout la nuit lorsque la température chutait et que les couvertures suffisaient à peine à leur confort.

Éridess le savait : Storine détestait ce météorite. Habituée aux immensités de l'espace ou

185

aux vastes étendues inondées de soleil des planètes de type tellurique, elle étouffait, prisonnière de ce ventre de roc.

«En plus, la seule pensée de respirer un air saturé de radiations n'a rien pour nous remonter le moral», se dit le jeune Phobien.

Dormait-elle ou faisait-elle semblant?

Griffo manquait terriblement à la jeune fille. Mais outre le fait qu'il n'y avait pas de place pour lui dans ce qu'Éridess appelait leur «tube de dentifrice», le lion, affecté par la lourdeur et l'obscurité d'Étanos, préférait sans doute courir librement dans les montagnes et les paysages déchiquetés.

Storine soutenait qu'il avait trouvé à se nourrir. Éridess avait du mal à imaginer une vie animale sur le météorite. «Ou alors, ce sont des bestioles mutantes!»

Depuis la découverte de la quatrième formule et leur retour du temple souterrain, Storine n'était plus la même. Sachant combien les irradiés, ceux que les autorités de *Critone* appelaient avec mépris les *Interdits* comptaient sur elle pour leur survie, elle se sentait écrasée sous le poids de la responsabilité.

«Elle ne dort pas, songea Éridess. Elle pense, elle réfléchit, elle s'inquiète.»

— Ton bras gauche, chuchota-t-elle soudain dans le silence.

Éridess était sûr que son bras était religieusement placé le long de son corps. Que voulait-elle dire ? Il avala sa salive.

Sentant peut-être qu'il se méprenait sur le sens de sa phrase, elle ajouta :

— Je suis contente pour toi, tu sais !

La veille, avant de se coucher, elle avait voulu « voir » son nouveau bras de chair régénéré grâce à la technologie mise au point par leurs amis Florus et Lâane. Il s'était mis torse nu. Patiemment, elle avait tâté la chair verdâtre. Simple curiosité de sa part ; fascination légitime pour une prodigieuse avancée médicale. Elle avait également palpé chacun de ses doigts.

— Et tu peux guérir aussi avec cette main-là ?

Éridess n'avait pas encore eu l'occasion de vérifier si son toucher thérapeutique fonctionnait avec sa nouvelle main. Trop gêné par cette soudaine et merveilleuse intimité, il n'avait même pas pu lui répondre.

— Sto…

Il avait la bouche sèche. Sur Étanos, on buvait beaucoup. Essentiellement de l'eau purifiée grâce à la poudre lumineuse grattée sur le tronc et les branches de l'arbre de lumière offert par les dieux.

« Elle doit penser à Solarion, j'en suis sûr ! »

Il ne savait pas pourquoi, mais il sentait que cette nuit était propice aux élans du cœur, à toutes les confidences. Il l'entendait respirer. Attendait-elle qu'il poursuive sa phrase ? Avait-elle peur de ce qu'il pourrait lui dire ou lui demander ?

« On se connaît depuis trop longtemps… »

Au dernier moment, trop timide, trop effrayé, aussi, par cet élan d'amour qu'il éprouvait pour elle depuis des années – cet amour impossible, car non partagé –, il se força à rester immobile. « Surtout, ne pas la prendre dans mes bras. » Un peu de tendresse, dans la nuit froide d'Étanos, ne serait jamais rien d'autre que de la tendresse. Mais cela était déjà trop. Même si, il le sentait, ils en avaient besoin tous les deux. Aussi décida-t-il de se taire. Mais, la gorge nouée, il savait que ce moment doux et silencieux ne reviendrait probablement pas, car plus jamais ils ne seraient aussi proches l'un de l'autre. D'ailleurs, cet état de grâce n'était-il pas temporaire ? Bientôt, ils allaient dépérir, puis mourir à petit feu, dévorés, comme les autres, par les radiations de brinium.

— Sto, répéta-t-il, je t'ai dit que mon guide m'avait tout raconté sur ce qui s'était produit sur Étanos, il y a neuf ans…

Cela faisait neuf années ésotériennes, en effet, que Virso-Lam et les siens avaient été «emmurés» vivants à l'intérieur du météorite par les autorités de *Critone*.

— Dis, tu dors ?

Les yeux clos, Storine songeait à Solarion. À la douceur de sa peau. À l'odeur de ses cheveux. À sa merveilleuse proximité qui jamais ne la laissait indifférente. À la chaleur de ses mains, à celle de sa bouche, de sa langue. Une douleur un peu semblable à celle qu'éprouvait Éridess lui brûlait le ventre. Cette douleur familière lui faisait regretter si fort l'absence de Solarion… Alors elle retenait ses larmes. Sachant qu'Éridess était un garçon, presque un homme, elle ne bougeait pas. Elle ne pouvait même pas dormir. Alors elle faisait semblant.

Durant la journée, Storine étudiait fiévreusement *Le Livre de Vina*. Sherkaya l'avait promis : il l'aiderait.

À quoi les membres de la communauté d'Étanos passaient-ils leur temps? Éridess laissa son amie assise sur le toit arrondi de leur conteneur en plastique et partit à l'aventure.

La plaine, vaste et morne sous la luminosité sourde produite par les hauts silos de cristal, était déprimante. Combien de temps avait-il fallu à ces hommes et à ces femmes, anciens employés de la Roc Imperex, pour s'y habituer?

«D'ailleurs, s'habitue-t-on jamais aux ténèbres?»

En quelques heures passées à suivre les uns et les autres, Éridess avait fait de nombreuses découvertes. Il s'était attendu à de la méfiance de la part des Interdits. Au contraire, il lisait dans leurs yeux rongés par les radiations – ces orbites quelquefois dépourvues de paupières – une sorte d'espoir indomptable qui brillait comme un feu intérieur. Perplexe, il se rappela que Storine lui avait dit combien Virso-Lam, le chef, était heureux que les prophéties annoncées par les dieux sur l'arbre de vie se fussent révélées exactes.

«Il croit que je vais tous les sauver», avait-elle dit.

Éridess savait que ce fol espoir mettait son amie à la torture. Voilà pourquoi elle passait des heures à étudier son petit manuscrit.

Des enfants le suivaient entre les bâtiments du camp. D'abord, il avait été surpris par leur existence. Son guide ne lui avait-il pas laissé entendre que les radiations avaient rendu tous les adultes stériles ? Scruté, épié, il se sentait mal à l'aise, car ces enfants, qui avaient entre cinq et huit ans, n'avaient jamais connu d'autres horizons que ceux de leur météorite.

« Sans doute ont-ils pu avoir des enfants, au début. Ce n'est qu'ensuite que les radiations ont commencé à les rendre stériles. »

Mais alors, comment ce bébé, qui était né le jour même de leur arrivée, avait-il pu être conçu ? De retour auprès de Storine, il la considéra avec beaucoup de tendresse. Elle était toujours assise, jambes pendantes le long de la paroi de plastique blanche, dos voûté, son *Livre de Vina* entre les mains. Refusant de l'imaginer, quelques semaines plus tard, désespérée et présentant les premiers signes de la contamination radioactive, il la rejoignit.

— On se demandait d'où provenait la nourriture ! Eh bien, je le sais, déclara-t-il en laissant, lui aussi, pendre ses jambes dans le vide.

Quelques enfants téméraires se hissèrent également sur le toit arrondi. Comme Storine ne répondait pas, il se lança dans le récit de ses découvertes.

— Figure-toi que tout contact n'est pas rompu entre les Interdits et la station *Critone*. Notre nourriture ainsi que l'air que nous respirons proviennent de la station. Un des tentacules reliant la station à Étanos est encore en activité. Il est utilisé pour le transport de la nourriture et de quelques produits de première nécessité, incluant des crèmes antiseptiques et des médicaments. À part cette unique marque d'intérêt, les gens de *Critone* semblent s'être complètement désintéressés du sort de ces malheureux. Tu veux savoir pourquoi ?

Storine grommela que oui, même si elle étudiait son petit livre et que, visiblement, la présence d'Éridess la dérangeait. Encouragé, il poursuivit :

— Je tiens ça de l'homme qui faisait équipe avec moi, l'autre jour.

Il se tut et réfléchit à la meilleure façon de lui « balancer son scoop ».

— Il y a eu une série d'accidents, commença-t-il. Enfin, c'est ce que les mineurs ont cru. En vérité, le brinium est très dangereux. Particulièrement celui que l'on extrayait ici, sur Étanos.

Les enfants, qui devaient connaître cette histoire par cœur, écoutaient néanmoins avec attention. « Contrairement à Storine, comme d'habitude », songea le Phobien. Lui-même désabusé, il abrégea volontairement, ce qui le privait du plaisir de « raconter », car il s'ennuyait ferme à longueur de journée.

— Pour faire une histoire courte, tous les membres de l'équipe ont été contaminés par les radiations beaucoup plus vite que ne le prévoyaient les ingénieurs de la Roc Imperex.

Storine referma brusquement *Le Livre de Vina*. Décontenancé, Éridess poursuivit quand même :

— Il n'était plus possible de permettre aux équipes de prospection, qui comptaient aussi de nombreuses femmes dans leurs rangs, de regagner la station, car le risque de contagion était devenu trop élevé. À propos, l'Interdit qui nous a attaqués à notre arrivée était parvenu au stade terminal de la maladie. Il avait perdu la raison. Un sort qui nous attend tous, à brève ou longue échéance. Constatant que l'irradiation était irréversible, le représentant de la compagnie a alors imaginé un plan. À mon avis, une monstruosité.

— Éri !

Storine se tourna vers lui. Au même instant, sans doute distrait par le récit de l'adolescent, un petit garçon de cinq ans glissa du toit. La hauteur du conteneur ne dépassait pas les trois mètres mais, dans un mouvement instinctif, Storine le rattrapa par le bras. Celui-ci cria d'épouvante, puis, comme Storine le prenait dans ses bras, il pleura doucement dans son cou.

L'émoi causé par cet incident alerta quelques adultes qui se rassemblèrent autour du conteneur. Leurs visages ravagés, leurs chairs blafardes et leurs traits rongés tels des spectres agités devant ses yeux bouleversaient Éridess au plus haut point. D'abord, il eut du mal à comprendre leur effroi. Puis Storine hurla à son tour et lâcha l'enfant.

Éridess n'eut pas besoin de l'entendre s'expliquer. Déjà, sur le cou et sur les mains de la jeune fille apparaissaient des cloques rougeâtres veinées de pus vert et jaune.

L'horreur se peignit sur son visage.

— Ça brûle! murmura-t-elle en regardant avec dégoût ses premières marques de contamination.

Stupéfait de constater que leur «libératrice» était elle-même, et si rapidement, victime des radiations de brinium, les adultes furent pris de panique. Sans qu'elle eut besoin de le lui demander, Éridess tenta le tout pour le tout et prit ses mains entre les siennes.

— Tu es fou!

Elle sentit d'abord la chaleur coutumière des mains d'Éridess quand celui-ci utilisait son don de guérisseur. La chaleur et la lumière. Car un halo lumineux jaune safran émanait de ses mains. Alors que Storine recommençait à espérer – son ami allait la soigner comme il l'avait déjà fait si souvent au long de leurs voyages dans l'espace –, l'adolescent se mit lui-même à gémir de douleur.

Tremblant, les larmes aux yeux, il regarda l'auréole de lumière s'estomper. Bientôt ses mains redevinrent froides et verdâtres. Puis, la sensation de brûlure ne l'ayant pas quitté un instant, il vit apparaître à son tour sur sa peau les premières cloques rougeâtres.

— Nous sommes perdus, bredouilla-t-il.

— Spontanément, Storine le prit dans ses bras.

Bien que fortement ébranlée par les événements, ses yeux verts restaient sereins.

— Nous n'en sortirons pas vivants, Sto!

La mâchoire serrée, elle ne répondit pas.

Plusieurs Interdits s'étaient rassemblés au pied du conteneur. Quand il reconnut Virso-Lam, Éridess éprouva une folle envie de déverser sur lui sa colère. N'était-il pas le chef? Sans mot dire, Storine reprit *Le Livre de Vina* et se remit à sa lecture.

Le chef des irradiés semblait fébrile, et Éridess se doutait très bien pourquoi. Leur libératrice était perdue, tous leurs espoirs s'écroulaient.

— Storine, déclara-t-il d'une voix sentencieuse, mes éclaireurs viennent de m'avertir…

Son bouquin à la main, elle glissa au sol. Sachant que les radiations avaient commencé à attaquer sa chair, il n'hésita pas et posa sa main nue sur son épaule:

— Un train magnétique vient d'arriver en gare. Il est rempli de médecins et de scientifiques. C'est un miracle, Sto, et c'est à toi que nous le devons.

Sans rien comprendre, Storine et Éridess se préparèrent à gagner la gare pour accueillir les premiers médecins à poser le pied sur Étanos depuis plus de neuf ans.

12

Le premier miracle

Alignés le long du quai, la centaine d'Interdits attendaient, étonnés, émerveillés, émus, impatients. Un second train était effectivement arrivé, poussant celui qu'avait utilisé Storine au-delà des bornes de sécurité pour se placer vis-à-vis du quai.

Virso-Lam avait réuni tous ses compagnons, plus la dizaine d'enfants qu'ils avaient eus depuis le début de leur captivité. Fébrile, chacun observait les silhouettes agglutinées derrière les vitres des wagons. Le grésillement magnétique caractéristique de ce genre de train emplissait l'air de la station. Chacun retenait son souffle.

Storine échangea un regard avec Virso-Lam. Comment les siens allaient-ils réagir?

« C'est à toi que nous devons cela », lui avait-il dit, ajoutant que jamais les autorités de *Critone* n'auraient envoyé une équipe médicale si elle, la Lionne blanche des prophéties, n'avait pas été prise au piège elle aussi.

Sachant que c'était à dessein qu'elle avait, comme il disait, été piégée, Storine restait perplexe. Il y avait sûrement une autre raison pour expliquer la présence de ces hommes. Mais laquelle ?

À l'intérieur du train, les visages ne paraissaient guère rassurés. Comme les minutes s'égrenaient et que personne ne semblait vouloir quitter la sécurité du train, les irradiés commencèrent à s'inquiéter. Et si ce convoi de prétendus médecins était en fait rempli de mercenaires chargés de les assassiner ?

— Pour effacer toute trace de leurs méfaits, chuchota un homme à côté de Storine.

Décontenancée par cette réflexion, elle entendit à peine une des portes d'accès glisser sur ses rails. Une seconde après, les Interdits s'écartèrent respectueusement devant une longue silhouette vêtue d'une sorte de toge en laine brune ourlée de fil d'or. Comme l'homme portait une cagoule ainsi qu'un masque de lin noir, un sursaut de peur secoua les rangs. Storine, elle, joua des coudes et se présenta au maître missionnaire :

— Maître Santus, c'est vous ?

Soulagée et heureuse, elle était sur le point de se jeter dans les bras de son mentor quand le religieux leva sa main ouverte devant elle.

— Hélas ! mon enfant.

La voix n'était pas celle de son ami le maître missionnaire. À bien y regarder, le symbole de métal incrusté sur sa poitrine n'était pas, lui non plus, celui de maître Santus.

— Mon nom est Korban-Lor, maître missionnaire du Saint Collège des missionnaires de Vina, envoyé spécial sur la planète Épsilodon.

« Il est plus grand et paraît plus vieux que maître Santus », se dit Storine tandis qu'Éridess, lui, retenait qu'Épsilodon était sans doute la planète de type H la plus proche de la station *Critone*.

Comme Virso-Lam s'avançait, Storine le présenta au maître missionnaire. Celui-ci l'honora du signe de la Ténédrah, le symbole de Vinor. Puis, sans façon, de sa main gantée, il serra le moignon droit du chef des Interdits.

Un silence lourd de signification aurait facilement pu s'installer. Déjà, Storine entendait des conversations fuser parmi les irradiés.

« Après neuf ans, ils arrivent enfin ! Les lâches ! Ils nous ont laissés pourrir sur place et maintenant ils veulent faire amende honorable. »

De la rancœur brillait dans les pupilles dépourvues de paupières.

Dans la lumière spectrale de la station d'Étanos, la colère des irradiés pouvait facilement décider du sort d'une vingtaine de civils.

Soudain, on entendit s'élever un terrible rugissement. Fendant la foule rassemblée sur le quai, Griffo rejoignit sa petite maîtresse de son pas majestueux. Habitués à la présence du fauve, les Interdits resserrèrent les rangs derrière lui.

Maître Korban-Lor serra également la main de Storine.

— Et toi, tu es Storine Fendora d'Ectaïr, n'est-ce pas ?

La jeune fille perçut des sanglots dans la voix du maître, comme s'il était réellement ému de pouvoir la rencontrer enfin. Un deuxième passager eut le courage de descendre sur le quai. Il s'agissait d'un petit homme rondelet vêtu d'un costume d'apparat. Tout à fait à l'aise malgré Griffo qui semblait occuper tout l'espace devant la porte du wagon, il se présenta :

— Je suis monsieur Dyvino, directeur du cirque Tellarus.

En voyant le sigle imprimé sur le col de sa veste, Storine se rappela les croiseurs entraperçus dans la soute de la station, le jour où elle avait échappé à Béneb et Rakio.

Puis, tour à tour, dans un silence de glace, une quinzaine de médecins et de scientifiques débarquèrent et déposèrent leurs boîtes et leurs instruments sur le quai, devant les irradiés qui s'écartaient pour leur faire place.

Un des médecins se présenta à son tour à Virso-Lam. Le groupe se scinda par la suite en deux. D'un côté, l'équipe médicale et scientifique qui choisit le chef des Interdits comme interlocuteur; de l'autre, le maître missionnaire, Storine, Éridess et monsieur Dyvino. Plusieurs autres personnes débarquèrent en dernier: une équipe médiatique mandatée par le conseil médical d'Épsilodon, en contact direct avec la station *Critone* ainsi qu'avec le centre hospitalier planétaire responsable de cette mission extraordinaire. Le dernier personnage à sortir fut une sorte d'illuminé armé d'un long bâton de cérémonie, le médium du cirque Tellarus.

201

— Storine, dit maître Korban-Lor, c'est une grande joie pour moi de te rencontrer. (Il se tourna vers Griffo :) Et toi aussi !

Sentant qu'il allait lui faire une importante révélation, elle retint son souffle.

— C'est ton ami maître Santus qui m'envoie.

Soulagée à un point que maître Korban-Lor n'imaginait pas, Storine eut l'impression que la voûte de la caverne se mettait à frémir. Mais ce n'étaient que ses jambes, devenues aussi molles que du coton.

— Il faut que je vous explique, jeune fille, ajouta monsieur Dyvino.

Que venait faire un directeur de cirque dans cette histoire ?

— Lorsque vous êtes arrivés dans la station *Critone* en semant la panique, mon médium, ici présent (il lui présenta le vieux Touméneb d'un mouvement de son double menton), t'a reconnue.

Le vieillard prit les devants et tomba à genoux.

— Lionne blanche ! s'exclama-t-il d'une voix profonde.

— Le fait est, poursuivit Dyvino quelque peu gêné par l'attitude de son médium, que mon équipe de cinéma a filmé toute la scène.

Les deux hommes se relayant l'un l'autre, Korban-Lor enchaîna cette fois :

— Ce film a fait le tour de l'empire. En quelques jours à peine, des dizaines de milliards de gens ont appris que la Lionne blanche annoncée par les prophéties s'était enfin manifestée.

À la manière dont il respirait sous son masque, le maître missionnaire semblait être au comble de l'excitation. Derrière Griffo, Éridess écoutait ce surprenant discours, tandis que Virso-Lam demandait aux siens de se scinder en dix groupes et de former un cercle autour des dix médecins qui devaient procéder à leurs examens et à leurs radiographies. Du matériel médical – civières, ordinateurs, scanners – fut déployé à même le quai, sous les lumières diaphanes filtrées par la grande baie vitrée donnant sur l'espace.

Storine capta, à huit mètres de distance, le regard brillant de Virso-Lam qui semblait lui dire que, grâce à elle, tel qu'annoncé, ils allaient être sauvés.

Dans la demi-heure qui suivit, Storine se fit expliquer en détail les retombées extraordinaires de ce petit film qui avait immortalisé le combat qu'elle avait livré contre

Éridess, puis, surtout, contre les gardes de la station.

— Et, surtout, l'effet de votre glortex et celui de votre lion blanc ! précisa Touméneb.

— Des groupes de pression se sont aussitôt organisés aux quatre coins de l'empire. Des millions de gens étudient de nouveau les prophéties d'Étyss Nostruss à la lumière de votre arrivée sur la scène impériale.

Mais qu'étaient-ils en train de lui dire ? Qu'en quelques jours à peine, ce petit bout de film avait fait d'elle une sorte de célébrité !

— Ces groupes de pression ont exigé que l'on vienne vous secourir, lui dit encore le maître missionnaire.

— Où est maître Santus ? interrogea soudain Storine, le cœur battant.

Dans leur dos, un brouhaha continu s'était installé.

— Nous sommes arrivés à temps, déclara monsieur Dyvino.

À sa voix empreinte de tendresse et de pitié, Storine devina qu'il s'était rendu compte que son visage était parsemé de cloques gorgées de pus.

— Il te faut maintenant accomplir le premier miracle de la prophétie, mon enfant, lui dit Korban-Lor.

Devant son expression médusée, il répéta :

— Le miracle…

Storine avait bien entendu, mais elle ne comprenait absolument pas où il voulait en venir. Quel miracle ?

C'est alors que le chef des médecins s'approcha du maître missionnaire. La déconfiture peinte sur son visage ne présageait rien de bon.

— Maître Lor, je crains que nous ayons un problème.

Il toussota et ajouta, en murmurant presque, pour que les Interdits ne l'entendent pas :

— Leur état de contamination est trop avancé. Même avec toute la technologie moderne, il n'y a plus aucun espoir de les sauver. Je suis désolé.

Le maître accusa le choc. Puis, visiblement déstabilisé, il balbutia :

— Et cela signifie ?

— Que nous devons repartir au plus vite. Une heure de plus dans cet endroit et nous devrons nous-mêmes y rester pour toujours.

Suffisamment éloquente, cette réponse glaça d'horreur ceux qui l'entendirent.

— Mais…

— Il nous faut partir tout de suite, maître Lor, insista le médecin-chef en rassemblant ses collègues.

Le délégué de l'équipe scientifique vint également le trouver pour lui faire son rapport :

— Cette variété de brinium est très contagieuse. Les lieux en sont saturés. Le mieux que je puisse recommander aux autorités de *Critone* est encore de larguer toutes les amarres, de laisser le météorite dériver dans l'espace, puis de le détruire.

Storine imagina le visage du maître, sous son masque. Devenait-il aussi blanc et dur que de la pierre ? Il se racla la gorge.

— Êtes-vous conscient de ce que vous venez de dire ?

Hélas ! il n'était pas le seul. Quelques irradiés, dont Virso-Lam lui-même, avaient entendu la confidence. Il y eut un mouvement de foule et quelques éclats de voix. Du matériel médical fut renversé. Deux médecins, pris à partie, furent molestés et irrémédiablement contaminés. La situation était sur le point de tourner à l'émeute.

Griffo poussa un rugissement, puis un deuxième. Refluant en désordre dans les wagons, les membres de l'équipe scientifique tentèrent de refermer les issues derrière eux tandis que les cinéastes, bravant tous les dangers, restaient agrippés à leurs caméras. La situation allait échapper à tout contrôle.

Prenant Storine par le bras, maître Lor s'écria :

— Viens avec nous !

S'arrachant à sa poigne, la jeune fille rétorqua :

— Je n'irai nulle part sans eux !

Soudain, elle sut.

Elle sut quoi faire.

Elle dégaina son sabre psychique et alluma sa lame. En se concentrant, elle projeta un rayon de lumière dans l'immense caverne. Une explosion couleur de sang secoua les lieux, illuminant les parois rocheuses durant une longue minute.

Storine sauta sur l'encolure de Griffo, garda son sabre étincelant au-dessus de sa tête et menaça la foule.

Comme son coup d'éclat avait rétabli un semblant de calme sur le quai, elle se pencha vers maître Korban-Lor et lui dit :

— La déesse est là. Écoutez-la !

Éridess crut qu'elle perdait la raison. Mais Storine, qui avait lu et relu le *Livre de Vina*

depuis quelques jours, comprenait enfin les paroles du maître missionnaire.

Elle respira profondément, leva les deux bras au-dessus de sa tête, et prononça à voix haute la quatrième formule :

— *Mokéna Siné Kosi Outranos !*

Elle n'était pas certaine du résultat mais, obéissant à une impulsion impérieuse, elle récita encore et encore les paroles de la quatrième formule de la déesse, jusqu'à ce que chaque mot résonne dans l'espace, mais aussi dans le corps et dans l'âme de chaque personne présente. Jusqu'à ce qu'une immense vague de lumière mauve surgissant de Storine elle-même emplisse la caverne tout entière et déferle sur la foule prise d'effroi.

« Le glortex, songea-t-elle, mais en dix fois, en mille fois plus puissant. Qu'est-ce que je fais ? Je les tue ! Je nous tue ! »

Griffo lui-même, affolé, tremblait sous elle comme un vulgaire lionceau devant une branche enflammée.

Portée par une vibration surnaturelle, la vague montait en elle puis débordait, inondait la caverne, explosait en millions de gerbes étincelantes. C'était à la fois merveilleux, fascinant et terrifiant.

Le phénomène, cependant, ne ressemblait en rien aux effets du glortex. Il manquait la haine, la douleur, l'envie de tout détruire.

Au contraire, Storine ressentait une espèce de plénitude. Une sensation de flottement à l'intérieur même de son esprit. Comme un soleil qui ne serait ni aveuglant ni brûlant. Un feu doux et purificateur.

«Je me noie, songea-t-elle, mais je ne meurs pas.»

Dans l'espace immaculé de son esprit s'éleva alors une voix de femme, un léger murmure fleuri comme une brise de printemps:

— Tu entres dans la Vie, ma fille. Tu fais ton apparition dans le monde…

— Sont-ce là les effets de la quatrième formule?

— L'Objah, lui répondit la déesse, te permet d'inverser les effets de ton glortex et de les décupler par mille, par cent mille. Imagine le pouvoir d'une telle énergie…

Storine, en effet, imagina.

Elle rêva à ceux que l'on appelait les Interdits.

Elle rêva qu'ils étaient tous guéris et libres de rentrer chez eux… Enfin!

13

Sur le souffle
de la déesse

Vu à travers la baie vitrée de son bureau, le météorite Étanos ressemblait à un guerrier du Mal. Sa surface stérile hérissée de pics, son ventre hanté par la douleur et la mort. Depuis la guérison miraculeuse, puis la libération des Interdits, Abram Loméga s'était tenu à l'écart. Avait-il eu tort ou raison ? En tant que directeur de *Critone,* il se trouvait au cœur d'un des plus retentissants scandales qu'ait jamais connus sa station. Les mains crispées derrière le dos, l'ombre de sa mince silhouette étirée sur les murs par le scintillement éternel des lointaines nébuleuses le faisait ressembler à un être tourmenté. Ce qu'il était, et davantage encore depuis que les noms de cette Storine et de son lion blanc étaient sur toutes les lèvres, d'un bout à l'autre de l'Empire d'Ésotéria.

— Vous avez commis une grave erreur, Loméga !

Comme surgie d'outre-tombe, la voix le fit sursauter. Il se retourna, pâle comme la mort, et devina, dans son bureau obscur, la présence de Shirf Shader, l'officier envoyé sur *Critone* avec pour mission d'assassiner la Lionne blanche. Heureusement, la pénombre, salutaire pour ses pupilles extrêmement sensibles à la lumière, ne révélait pas toute l'étendue de son désarroi. Assis dans un des fauteuils comme un chat prêt à bondir sur une souris, Shader était entré sans faire de bruit. Loméga détestait ce genre d'homme-animal tout entier dominé par ses passions et pourtant dangereusement intelligent.

— Si vous m'aviez écouté, elle serait morte, aujourd'hui. Et tout cela (ces mots étaient si lourds de sens !) n'existerait pas.

Loméga comprenait fort bien que la révélation de l'existence des anciens mineurs, enfermés sur Étanos comme des bêtes galeuses, avait de quoi révolter l'opinion publique. Les groupes de pression qui affichaient des idées libérales, telles que la protection des travailleurs en milieu hostile et la sauvegarde des trésors naturels de l'espace – comme si ces météorites errants pouvaient être considérés comme des reliques! –, trouvaient, grâce à l'exploit de la Lionne blanche, une cause en or à défendre. Sans parler, mais cela n'était même pas nécessaire, de tous ceux qui rêvaient d'intenter un procès de plus à la Roc Imperex, cette fois pour cruauté et tentative de meurtre prémédité sur une centaine de ses propres employés!

— Vous n'ignorez pas que cette station n'existe que grâce à l'exploitation du brinium et que vous êtes, en quelque sorte, son représentant officiel, ajouta Shader d'une voix sépulcrale.

La menace était à peine voilée.

— Et vous, colonel? répliqua Loméga sans préciser sa pensée plus avant, car accuser un officier de la phalange noire, cette sorte de service secret parallèle à celui du gouvernement impérial, était une entreprise fort périlleuse.

Shader bondit hors de son fauteuil et vint se dresser derrière le directeur qui ne put retenir un frisson glacé.

— Je vous l'ai dit. Il n'est pas encore trop tard…

Loméga se retourna. Le colonel avait horreur de ce genre d'eunuque à la fois faible et méprisable, cette sorte de rampant certes intelligent, mais sans aucune envergure : un vulgaire ver de terre qu'il pouvait étrangler, ici même, en deux secondes si l'envie lui en prenait.

— Vous perdez la raison ! s'exclama Loméga en s'étouffant d'indignation. Des milliers de journalistes provenant des quatre coins de l'empire viennent d'arriver pour la rencontrer. Chaque jour, on ne parle que de ce miracle. Elle est désormais intouchable, et vous le savez !

Shader fit volte-face et quitta le bureau. Juste avant de partir, cependant, il sortit de sous sa cape une grenade lumineuse, une arme qui servait surtout à aveugler l'adversaire avant de lui donner l'assaut, et il la dégoupilla.

Soudain inondée de lumière, la pièce résonna du cri atroce que poussa le directeur.

— Personne n'est jamais à l'abri de quoi que ce soit !

Recroquevillé au sol comme un animal blessé, les mains plaquées sur ses yeux, Loméga maudit la compagnie Roc Imperex qui avait fait pression sur lui pour que les

214

mineurs irradiés fussent emmurés vivants et oubliés de tous. De plus, il avait trempé dans l'explosion de cette navette qui transportait supposément les mineurs infectés dans un hôpital d'Épsilodon, mais qui, en réalité, était vide ; ce qui avait permis à la compagnie de leur faire des obsèques officielles tandis que, dans le même temps, elle les emmurait vivants dans le météorite maudit. Sentant que sa carrière était sur le point de voler en éclats, Loméga songea à quel point la vie était brève, fragile, pénible et souvent injuste.

Allongée sur le dos, Storine contemplait, par-delà le dôme énergétique du principal chapiteau du cirque Tellarus, la beauté incandescente des nébuleuses. Cela faisait une bonne heure qu'elle se tenait là, perdue dans ses pensées, à plus de soixante-dix mètres de haut, sur une étroite plate-forme de trapéziste installée au sommet d'un mât. Dominant les ensembles de gradins et les équipes d'employés du cirque qui montaient inlassablement les décors, elle avait l'impression de revivre.

Le bruit des scies-lasers, des coups de marteau, et le vrombissement des transporteurs magnétiques se fondaient en un brouhaha presque agréable à ses oreilles après les silences mornes et glacés, après la noirceur oppressante du météorite Étanos. De temps en temps, des ouvriers levaient les yeux en direction de son nid d'aigle. Que faisait la Lionne blanche ? Une crainte respectueuse embrumait leurs yeux lorsqu'ils la voyaient arpenter les couloirs ou déambuler sur le dos de Griffo parmi les artistes du cirque. C'est pour échapper à une telle ferveur et à ce qu'elle ressentait comme une atteinte à sa vie privée que Storine s'était réfugiée au sommet du mât.

Le premier «miracle», comme le nommait maître Lor, avait eu lieu deux semaines plus tôt. Après quelques minutes longues comme une éternité, les effets de la quatrième formule s'étaient dissipés. En dévisageant les anciens mineurs, les médecins avaient crié au miracle. Une liesse comme personne n'en avait jamais connue avait explosé spontanément, car toute trace de radioactivité avait dès lors déserté la chair de ces hommes et de ces femmes condamnés à une mort certaine. Tout le monde avait été rapatrié sain et sauf à bord de la station *Critone*, et l'extraordinaire nouvelle, avec film à l'appui, avait commencé à se propager dans tout l'empire.

Au bord de l'évanouissement, Storine avait été ramenée sur un brancard et immédiatement hospitalisée dans la clinique du bord. Comme les médecins demeuraient impuissants à la sortir du coma dans lequel elle avait sombré, Éridess était intervenu. Afin de garantir à la Lionne blanche un semblant d'intimité, Korban-Lor avait ordonné aux journalistes présents dans la chambre de sortir. Puis le jeune Phobien était entré par une porte dérobée. Devant le maître missionnaire, il avait apposé ses mains sur la nuque de la jeune fille. Un instant émerveillé par le pouvoir de son toucher thérapeutique, l'homme masqué s'était rappelé une des prophéties concernant la venue et les missions de la Lionne blanche. Elle serait accompagnée par trois mystérieux compagnons : le guérisseur, le brave et le Sage. Si son collègue maître Santus avait été le Sage, celui-ci était à coup sûr le Guérisseur.

Lorsqu'elle était revenue à elle, Storine avait souri.

— J'ai voyagé en compagnie de la déesse, dit-elle à son ami. C'était… merveilleux.

Pourtant avide de tout détail concernant la vie des dieux, Korban-Lor n'avait rien pu lui soutirer de plus.

Toujours allongée, les yeux perdus dans les étoiles, Storine songeait à tous ceux dont elle avait bouleversé la vie.

« Si soudainement et en si peu de temps ! »

Virso-Lam était également venu la voir. Délivré de toute trace de brûlure, son visage commençait à se régénérer. Son crâne n'était plus souillé de plaques sanguinolentes mais luisait doucement, aussi rose que celui d'un nouveau-né. Ses mains, bien sûr, n'étaient plus que deux moignons, mais des moignons sains libérés de toute gangrène. Il parlait même de la possibilité de se les faire régénérer grâce à l'implantation de tissus génétiquement modifiés. Sa vie n'était plus menacée et il avait bien l'intention, comme la plupart de ses compagnons, d'intenter un procès aux dirigeants de la station *Critone* ainsi qu'à la méprisante et toute-puissante compagnie Roc Imperex.

— Nous sommes certains de gagner. Cela ne nous rendra pas les neuf années perdues à vivre un enfer mais, au moins, nous pourrons clamer la vérité.

Encore affaiblie par son exploit, allongée dans son lit, Storine prit ses moignons entre ses mains.

— Je suis si heureuse! lui dit-elle, encore tout éblouie par les moments magiques vécus en compagnie de la déesse.

Avant qu'ils soient embarqués sur des vaisseaux en partance pour diverses destinations, plusieurs autres ex-Interdits, dont une demi-douzaine d'enfants auprès desquels Éridess et Storine avaient vécu sur le rocher d'Étanos, étaient venus lui rendre visite. Gravée holographiquement par des journalistes présents dans la chambre, cette scène d'aurevoir fit rapidement le tour de l'empire.

— La déesse vibre là, dans mon cœur, expliqua-t-elle un peu plus tard à maître Lor, quand celui-ci, toujours curieux, était venu lui rendre visite.

— C'est une présence, un peu comme une mère spirituelle, n'est-ce pas?

Au timbre de sa voix, il semblait réellement bouleversé d'entendre ces petits bouts de confidences et de se trouver (il en avait sûrement rêvé durant des années) aux côtés de cette mystérieuse Lionne blanche qui devait ébranler les fondements mêmes de l'empire.

Détail qu'il garda pour lui de peur de l'effrayer, car, bien que puissante, elle n'était encore qu'une jeune fille comme une autre (ou presque), avec ses rêves, ses craintes, son passé qu'il soupçonnait douloureux, ainsi que quelques idées préconçues qui le chagrinaient. Comme sa méfiance vis-à-vis de tout ce qui portait un uniforme et sa rancœur viscérale contre l'autorité impériale.

Mais, pour l'heure, il importait de gagner sa confiance et son estime, car certains membres du Saint Collège dont il faisait partie avaient une vision bien précise de ce que devait être la mission de la Lionne blanche, chacune de ses actions ainsi que son utilité sur l'échiquier politique et religieux de l'empire. Sentant qu'elle se méfiait aussi de lui, il résolut de se montrer prudent.

— Storine, je t'ai parlé de ton ami maître Santus…

La jeune fille pensa que, lui aussi, tout comme Santus, d'ailleurs, avait cette fâcheuse habitude de ne jamais terminer ses phrases. Et puis sa manie de l'appeler par son prénom comme s'il était son ami lui tapait sur les nerfs.

— Je suis fatiguée, lui répondit-elle.

Aussitôt, le médecin affecté à son service invita maître Lor à se retirer. Celui-ci gronda d'agacement sous son masque, mais il obéit. Il convenait de mater cette fille rebelle, car maintenant qu'elle devenait une célébrité, il ne fallait surtout pas qu'elle échappe au contrôle de l'ordre des maîtres missionnaires !

— Vous savez, lui dit son médecin en la bordant, cet arbre de lumière dont nous ont parlé Virso-Lam et ses compagnons, eh bien, nous allons retourner sur Étanos pour l'étudier de près. Lam prétend que cette poudre retardait la progression des radiations et purifiait les denrées que leur envoyaient les autorités de la station.

— Virso-Lam a raison, rétorqua Storine, énervée par le doute qu'elle sentait poindre derrière les paroles de l'homme.

Puis, afin de les décourager, elle fit semblant de s'endormir.

Monsieur Dyvino avait été un autre de ses visiteurs privilégiés. Storine avait tout de suite aimé ce petit bonhomme sympathique, souriant et incroyablement positif qui lui rappelait tant son grand-père adoptif.

— Mademoiselle Storine, je tenais à vous dire que Griffo se porte comme un charme.

Je l'ai accueilli dans mon cirque. Il dispose de tout l'espace nécessaire et il mange de bon appétit.

C'était gentil à Dyvino de le lui dire. Pour ne pas l'offusquer ni le peiner, elle s'abstint de lui répondre que Griffo lui avait déjà raconté tout cela par télépathie. Elle le remercia gentiment et promit de réfléchir à la proposition qu'il venait juste de lui faire.

Allongée au sommet de son mât, elle y réfléchissait encore, d'ailleurs, quand Éridess, essoufflé et tremblant autant de peur que d'excitation, prit pied sur sa plate-forme d'observation. Se redressant sur un coude, Storine le taquina :

— Tu as escaladé le mât tout seul depuis le sol ?

Il haussa les épaules.

— Tu me prends pour un lâche !

Ne sachant pas s'il plaisantait ou s'il était réellement vexé par sa remarque, elle lui sourit. Honnêtement, elle était heureuse de le savoir de nouveau à ses côtés. Depuis leurs retrouvailles, elle ne ressentait plus à son égard la moindre rancœur, la moindre aménité. Enfin, il n'était plus pour elle le fils de Caltéis, le marchand d'esclaves, ni le garçon insupportable, ombrageux et pédant qu'elle avait connu sur la planète Phobia. Cela avait demandé des années, mais Éridess était assurément devenu son meilleur ami. Pour le lui prouver, elle lui prit la main avec chaleur. Ce simple geste effaça toute la tension qui s'était accumulée entre eux pendant leur séjour sur Étanos.

— Éri, j'ai pris une grave décision.

Il la regarda, éberlué.

— Si j'ai appris une chose sur Étanos, c'est que, dans la vie, il ne faut jamais désespérer. Nous étions prisonniers, malades, presque mourants, et monsieur Dyvino vient de me proposer de faire partie de sa troupe.

— Comptes-tu accepter ?

Elle s'allongea de nouveau et fixa les étoiles sans répondre.

— Ce serait une façon d'échapper aux médias, en tout cas, reprit Éridess. Tu sais qu'une centaine de journalistes trépignent, en ce moment, aux portes du chapiteau. Ils se battent presque pour t'interviewer.

Elle lui jeta un regard courroucé. Ses yeux si verts s'assombrirent. Pourtant, elle était plus effrayée qu'en colère. Que dire à tous ces gens ? Comment devait-elle se comporter ? Quelles questions lui poseraient-ils ? Oppressée, elle eut du mal à reprendre son souffle.

— Alors ?

Moins sûre de sa décision qu'elle voulait le laisser paraître, elle mordilla son petit grain de beauté.

— J'hésite encore, Éri, finit-elle par avouer.

Le jeune Phobien, qui la connaissait presque par cœur, soupçonna qu'elle ne lui disait pas toute la vérité. Pour elle, la guérison collective des irradiés était avant tout une expérience mystique. À cause de sa manie de tout analyser, Storine se perdait en suppositions sur ce qu'elle avait réellement vu, fait et entendu après qu'elle eut récité la quatrième formule, « sans savoir où cela nous mènerait ».

Des éclats de voix vinrent troubler la quiétude de leur refuge. Envahissant l'espace aérien du chapiteau, ils virent tournoyer autour d'eux une dizaine de petits scooters magnétiques.

— Des journalistes ! s'exclama farouchement Éridess.

— Viens, partons !

Storine se leva et lui tendit la main. Il eut un peu peur de ce qu'elle entendait par là. Soudain, il la vit s'élever au-dessus de la plateforme. Autour de son front, sa couronne de lévitation accrocha la lumière rougeoyante d'une lointaine étoile.

— Allez, donne-moi ta main !

Comme elle s'élevait davantage, il serra ses bras autour des genoux de la jeune fille, s'agrippa et cria d'épouvante quand ses propres pieds ne touchèrent plus le plancher rassurant de la plate-forme. Zigzaguant entre les scooters de la presse interspatiale, ils rejoignirent le sol au nez et à la barbe des journalistes en colère.

— Tu es sûre que c'est la bonne direction ?

— Allons retrouver Griffo ! lui répondit Storine en s'engouffrant dans une longue coursive vitrée.

Cela faisait vingt minutes qu'ils erraient dans un dédale de couloirs, et ils n'en voyaient toujours pas le bout. Éridess rabattit la visière de son mnénotron sur ses yeux et se brancha holographiquement à l'ordinateur principal de la station.

— J'aurais dû y penser plus tôt ! grommela-t-il.

Storine observa le long tube, puis elle regarda par la vitre. Leur corridor suspendu en surplombait d'autres qui s'entrecroisaient comme des bras. Plus loin, leur tentacule s'élançait à l'extérieur de la station à même l'espace. Les portions de couloirs faits de parois d'acier amovibles trouées de longs hublots en losange étaient reliées les unes aux autres par des sas hermétiques. Éridess fit claquer sa langue.

— Par les cornes du Grand Centaure, comme tu dirais, nous nous sommes égarés dans un segment abandonné. Pour regagner une artère achalandée, nous devons faire demi-tour. Pourtant…

— Je n'aime pas cet endroit, déclara Storine en saisissant le manche éteint de son sabre psychique. Pourtant, quoi ?

Le jeune homme leva le nez en direction des néons qui dispensaient une vive clarté.

— C'est drôle, l'orientation du couloir ne correspond pas au diagramme figurant dans l'ordinateur de la station.

Soudain, leur segment se mit à vibrer. Devant et derrière eux, les sas se refermèrent dans un bruit de forge métallique. Plusieurs câbles d'acier raclèrent le long hublot de gauche, puis vinrent s'amarrer. Un tangage les prévint que leur segment de couloir était déplacé par une grue invisible.

— Attention !

Perdant l'équilibre, ils roulèrent l'un sur l'autre. Puis, au bout de quelques secondes, leur corridor suspendu fut greffé à un autre tentacule.

Le silence.

— Que s'est-il passé ?

Éridess n'eut pas le temps de répondre. Les deux sas placés à chaque extrémité s'ouvrirent en même temps. Plusieurs gardes noirs se mirent en position dans le chambranle d'accès, puis ils entendirent le cliquetis caractéristique des lasers que l'on charge.

— Baisse-toi ! ordonna Storine en allumant la lame de son sabre.

Prise entre deux feux, la jeune fille tenta, durant quelques secondes, de bloquer les traits de lumière qui pleuvaient sur eux. Se rendant compte que sa tentative serait vaine, elle attrapa Éridess par le col de sa combinaison et récita à haute voix la troisième formule – celle conférant l'invulnérabilité :

— *Âmaris Outos Kamorth-Ta Ouvouré.*

Aussitôt, l'espace réel s'estompa autour d'eux. Les traits mortels les transpercèrent sans les atteindre. Dans cette dimension située hors de l'espace, le temps s'écoulait au ralenti.

Storine vit distinctement l'expression d'incré-
dulité se peindre sur le visage d'un de leurs
agresseurs. Ces hommes les voyaient toujours,
mais comme des silhouettes floues. En désespoir de cause, l'officier ordonna à ses soldats
d'investir le corridor. Agenouillé au sol, Éridess
vit son amie lever son sabre au-dessus de sa
tête, puis frapper les mercenaires qui tentaient de les assaillir. Tandis que les hommes
continuaient de tirer dans leur direction, les
traits mortels de leurs armes atteignaient leurs
collègues positionnés en face d'eux, sans
toucher ni Storine ni Éridess. Par contre, les
attaques de la Lionne blanche s'abattaient sur
leur cible. Éridess vit la lame du sabre psychique faire sauter une tête, puis s'enfoncer,
toujours au ralenti, dans la poitrine d'un
second soldat.

Épouvantés, les gardes noirs se replièrent
en laissant trois morts sur les lieux. Quelques
instants s'écoulèrent encore, puis Storine et
Éridess retrouvèrent leur densité normale.

Essoufflée, la jeune fille s'accrocha à son
ami. Dans ses yeux, il lut l'horreur mais aussi
une farouche détermination.

— Il faut quitter la station, Éri. Tout de
suite.

Ils débouchèrent dans la grande soute où étaient parqués les croiseurs du cirque Tellarus. À leur arrivée, une foule de voyageurs ainsi que des membres du cirque vinrent les entourer. Storine chercha monsieur Dyvino des yeux.

« Partir avant qu'une autre tentative d'assassinat ne réussisse », se dit-elle en voyant avec soulagement Griffo accourir vers elle à grands bonds et faire le vide autour de lui.

— Rassemble tes affaires, Éri. Le temps de trouver monsieur Dyvino et…

Quelles affaires ? Il ne leur restait rien. Le jeune Phobien aurait pu en rire, mais il vit surgir les scooters transportant les journalistes impatients d'interviewer la célèbre Lionne blanche des prophéties. Agacée de constater que ces gens grouillaient de partout et, qu'en plus, ils braquaient sur elle leurs caméras, elle changea brusquement d'avis. Il fallait partir, oui, mais plus question d'embarquer à bord de la flotte du cirque Tellarus.

— Qu'est-ce que tu as derrière la tête, Sto ? s'inquiéta Éridess lorsqu'elle se hissa sur l'encolure du grand lion blanc.

Elle fit se cabrer Griffo de manière que les journalistes, qui piaffaient d'impatience, ne puissent pas les approcher davantage. Pour l'aider dans son entreprise, Griffo poussa un rugissement à glacer le sang.

— Viens !

Korban-Lor arriva sur les lieux à l'instant même où Storine aidait son ami à grimper derrière elle sur le lion. Devinant ce qui allait suivre, il accourut, mains levées pour retenir la Lionne blanche.

— Accroche-toi à moi ! s'écria Storine en allumant la lame de son sabre psychique.

Un bref instant, le jeune homme contempla son visage transfiguré par une confiance nouvelle ; une force lumineuse baignait ses traits. Ravalant sa salive, Éridess enroula ses bras autour de la taille de son amie.

Tout se passa en quelques secondes à peine.

Storine récita tout haut la deuxième formule. Éridess la murmura en même temps qu'elle :

— *Mâatos Siné Ouvouré Kosinar-Tari.*

Cette invocation, il le savait, permettait à l'Élue de voyager dans l'espace à la vitesse de la pensée.

Avec stupéfaction, la foule vit le grand lion blanc enveloppé d'un épais nuage de lumière. Une vibration sourde envahit la soute. L'espace sembla se tendre, puis se détendre comme un élastique. Ceux qui se trouvaient proches du lion expliquèrent par la suite, en entrevue exclusive, qu'ils s'étaient sentis «comme absorbés» par la lumière.

L'instant d'après, la Lionne blanche avait disparu.

Pestant sous son masque de lin noir, maître Korban-Lor serra les poings jusqu'à ce que ses jointures blanchissent sous ses gants. Il allait devoir envoyer un rapport à ses supérieurs et aviser maître Santus que l'Élue venait, une fois de plus, de leur glisser entre les doigts.

«Dorénavant, la prophétie est en marche, et rien ni personne ne pourra plus l'arrêter. Que les dieux protègent l'empire», songea-t-il en éprouvant un frisson glacé qui courait le long de sa colonne vertébrale.

14

La conférence secrète

La navette stoppa en plein espace. Nulle planète, nulle étoile, pas le moindre petit astéroïde vagabond en vue. Pour le haut personnage présent à bord de l'appareil, ce vide-là n'avait rien d'un simple concept philosophique : c'était une réalité qui donnait le vertige. Certain qu'il avait atteint les coordonnées exactes, le capitaine entra dans l'ordinateur une série de codes composés de chiffres et de pictogrammes. Aussitôt, une étoile de lumière tourbillonnante apparut devant la proue de l'appareil. Rassuré, l'officier ordonna à son pilote d'avancer lentement. À bord, chacun retint son souffle. Irrémédiablement attiré par l'étoile de lumière, l'appareil fut absorbé et digéré. Un observateur impartial aurait pu jurer sur le *Sakem* que la navette s'était volatilisée.

Elle réapparut pourtant dans le même espace, mais dans un quadrilatère protégé par un champ d'énergie qui soustrayait cette zone aux regards et aux senseurs les plus perfectionnés, notamment ceux de l'armée impériale. À sa grande surprise, l'important visiteur constata que de nombreux vaisseaux, anonymes pour faire en sorte d'empêcher toute identification, les avaient devancés et s'arrimaient à ce qui ressemblait à une station de l'espace montée à la diable et constituée d'unités préfabriquées empruntées à diverses compagnies minières impériales.

— Je sais que cette conférence est classée top secret, mais à ce point…

Comme son capitaine levait sur lui un œil surpris, ce fut son seul commentaire. Il ordonna promptement de mettre hors tension tous les canaux de communication. Puis, ayant vérifié que les plis de son costume tombaient impeccablement sur ses hanches, il monta à bord de la station.

— Les événements que nous connaissons depuis huit mois se sont accumulés à un point tel que cette réunion s'imposait.

Cette voix de femme n'était pas dénuée de charme mais aussi d'autorité, songea l'homme au costume plissé. Sous le ton mielleux, on devinait un soupçon de menace. Assis à ses côtés autour de la grande table de conférence, il compta vingt-deux hommes et femmes venus des quatre coins de l'empire, certains vêtus de costumes qui n'étaient d'ordinaire pas les leurs, comme s'ils avaient cherché à cacher leur véritable identité. Par ailleurs, la salle étant presque plongée dans l'obscurité, ils avaient toutes les peines du monde à entrevoir le visage de leur voisin immédiat.

« Notre seul point de repère réel est donc vocal. »

Afin que nul ne puisse être distrait du sujet de la conférence, aucune baie vitrée ne s'ouvrait sur l'espace.

« Cela a été voulu ainsi », se persuada l'homme qui était un très haut gradé de l'armée ayant choisi, pour l'occasion, de revêtir un costume civil qui l'irritait horriblement.

Conscient de l'importance de l'événement, il se concentra sur cette voix mélodieuse qu'il connaissait mais que, par crainte ou par respect, il refusait de nommer.

Une image holographique striée d'éclairs bleutés grésilla puis se matérialisa, grandeur nature, au centre de la longue table.

— Storine Fendora d'Ectaïr, annonça la voix.

Un rugissement terrible les fit sursauter.

— Ainsi que Griffo, son lion blanc…

«Ainsi donc, se dit le général en se frottant la barbe, l'Élue existe réellement!»

— Il y a huit mois, elle débarquait sur la station *Critone*. Ceux qui, parmi vous, sont des exégètes du prophète Étyss Nostruss savent que cette guérison collective, annoncée par les prophéties, a bel et bien eu lieu, d'après ce qu'en ont rapporté les médias.

La voix n'émanait pas d'un seul endroit, mais semblait se mouvoir dans la salle. Pourtant, le général ne percevait aucune présence physique qui aurait pu circuler dans leur dos.

— Les médias interspatiaux, toujours à l'affût de la nouveauté, l'ont portée aux nues. Elle serait, dit-on, l'Élue des prophéties : la mystérieuse Lionne blanche que de nombreux peuples, souvent des colonies ou des protectorats impériaux, croient reconnaître dans leurs propres légendes et traditions, et attendent depuis des milliers d'années.

Un murmure parcourut la grande salle dans laquelle, pourtant, chacun se sentait un peu à l'étroit.

— Mais ne vous y trompez pas ! Cette fille, bien que possédant de réels pouvoirs, n'est pas celle qu'elle prétend être.

Un silence. Puis la voix ajouta :

— Elle-même n'en a peut-être pas conscience, mais cela ne change rien au fait qu'elle constitue une menace pour l'empire. Un danger réel auquel nous devons faire face. C'est pour faire le point sur cette situation que nous vous avons tous réunis ici aujourd'hui.

« Inutile d'ajouter que c'est dans le plus grand secret », se dit le général qui songea aux énormes mensonges qu'il avait dû inventer pour se libérer sans susciter la méfiance de ses collègues de l'état-major impérial.

Depuis que la Lionne blanche avait fait son apparition dans les médias, et même si ses premières actions d'éclat avaient amusé les officiels, une sorte de ferveur s'était installée parmi les peuples, mais aussi – et cela était plus séditieux – au cœur même des membres influents du gouvernement impérial.

— Récapitulons ! poursuivit la voix.

La station *Critone* apparut sur la plaque holographique.

— *Critone* ou le « premier miracle », comme l'appellent les exégètes. Cent hommes et femmes, miraculeusement guéris d'une irréversible irradiation au brinium.

La voix octroya à l'auditoire une minute de silence qui sembla durer une heure entière.

« Comme un reproche muet », se dit le général.

— Deuxième miracle pésumé : les bandes rivales assoiffées de sang de la planète Psylonia. Maître Gorulum, je vous cède la parole.

Le maître missionnaire était heureux, en pareille occasion, de porter son masque de lin noir brodé de fil d'or. Il se leva un peu raidement.

— Ces bandits écumaient les riches métropoles de l'hémisphère Nord depuis deux cents ans. Des stèles gravées dans les anciens sanctuaires de la cité capitale annonçaient l'arrivée de la Lionne blanche et le rétablissement de la paix sur Psylonia.

— La paix !

Le ton était méprisant.

— Et que vous a coûté cette paix, maître Gorulum ?

Le maître missionnaire s'éclaircit la voix. Ce n'était pas le moment de faire preuve de timidité.

— Les pillards, épris de liberté, réclamaient du gouvernement psylionien des crédits pour se construire une cité spatiale placée en orbite de la planète. Depuis deux cents ans, leurs revendications n'avaient jamais été acceptées, et les pillages n'avaient jamais cessé depuis.

Le projecteur holographique grésilla. Des images apparurent. Chacun reconnut la Lionne blanche, chevauchant son lion blanc et brandissant son sabre psychique.

— Elle est apparue, elle a réuni les chefs des deux camps…

— Et finalement, maître Gorulum, votre gouvernement a cédé à ces hors-la-loi et a financé la construction de la cité qu'ils exigeaient depuis si longtemps.

Gorulum n'osa pas avouer qu'ayant lui-même assisté à cette rencontre extraordinaire, il y avait éprouvé un tel sentiment de paix et d'harmonie que les décisions en avaient été grandement facilitées. À vrai dire, il n'avait pas vraiment eu l'impression de négocier : tout s'était déroulé avec bon sens, comme si, en cette occasion unique, la présence de la Lionne blanche faisait ressortir ce qu'il y avait de meilleur en chacun d'eux. Avoir vécu cette expérience – comme s'il avait senti, posée sur sa joue, la main de la déesse – émouvait encore le maître missionnaire ; ce qui lui donnait un peu l'impression, par sa seule présence en ces lieux, de trahir la confiance et l'amour de la déesse.

De son côté, la « voix » ne se priva pas de préciser, en contenant sa colère :

— Résultat, les compagnies impériales installées sur Psylonia qui étaient chargées de fabriquer les équipements utilisés par nos soldats en garnison afin d'assurer la protection des civils ont dû plier bagage. De même que nos soldats, d'ailleurs. En conséquence, le gouvernement d'Ésotéria ne perçoit plus les taxes de protection autrefois versées par les peuples de Psylonia, et ce gouvernement fantoche, placé au pouvoir par nos soins, se conduit désormais comme une autorité indépendante. Passons maintenant à la troisième intervention de cette « Élue » !

Cette fois, il s'agissait de milliers d'hommes et de femmes vivant sur la planète-usine d'Arverex. On y produisait des robots ménagers à tout faire très haut de gamme, destinés aux planètes riches de l'empire. Accessoirement, les technologies d'assemblage, essentiellement basées sur le laser, causaient chez les populations indigènes de nombreux cas d'intoxication alimentaire et d'allergies, ainsi que, chez les plus faibles, des cas de cécité sévère. Bien entendu, malgré de nombreux procès qui avaient surtout enrichi des armées d'avocats, jamais aucun lien direct n'avait pu être établi entre ces lasers et les effets secondaires ressentis par les populations locales.

— La Lionne blanche est apparue, expliqua une petite femme aux traits sévères qui semblait posséder une volonté de fer.

Le ton de sa voix, dur et métallique, disait combien elle haïssait l'Élue des dieux.

— Elle est venue. Avertis on ne sait comment, les gens se sont rassemblés autour d'elle. Certains ont prétendu, les jours précédant sa venue, avoir rêvé d'elle ! Ils se sont réunis sur les places des cités d'Arverex. Des milliers de malades. Chaque fois, la Lionne blanche arrivait, planant dans le ciel et montée sur son lion blanc.

Des images holographiques accompagnaient le récit de la femme qui se révéla être la première ministre d'Arverex. On y voyait Storine Fendora d'Ectaïr lever les bras au ciel, puis réciter une formule. Aussitôt, une lumière mauve, émanant de sa personne, se répandait sur les foules comme un gigantesque nuage.

— Tous ces gens ont été miraculeusement guéris, murmura la première ministre comme si cela était une calamité.

Pour certains privilégiés, ça l'était, en effet. La voix de la maîtresse conférencière retentit :

— Ces milliers de gens étaient de grands consommateurs de médicaments, chimiquement produits par nos usines, sur Ésotéria. Cela totalisait des milliards d'orex en chiffre d'affaires annuel et, en termes de retombées économiques, des milliers d'emplois dans les secteurs de la médecine irrémédiablement perdus, sur notre planète mère, à la suite de ces nouveaux « miracles ».

Sans parler des énormes pots-de-vin versés par ces mêmes compagnies pharmaceutiques aux membres du gouvernement d'Arverex pour qu'ils étouffent les plaintes et les procès intentés par les populations autochtones.

« Ainsi donc, songea le général, dans cette affaire, deux visions s'affrontent : deux justices. »

Comme lui-même avait perdu d'importantes sources de revenus « parallèles » à cause de l'intervention de la Lionne blanche dans son propre secteur, il n'était guère enclin à la clémence ni même – il s'en rendit compte – à l'objectivité.

D'autres images prenaient vie sur les plaques holographiques. On y voyait la Lionne blanche, cette créature de légende faite de chair et de sang, qui était bien trop réelle.

« Et mignonne, en plus ! Mieux que ça, se dit le général, belle. Merveilleusement belle. Jeune. Seize, dix-sept ans peut-être ! Une présence incroyable. Si jeune et déjà un mythe. »

D'autres miracles avaient également eu lieu, et chacune des personnes attablées avait perdu des plumes dans les interventions « divines » de la Lionne blanche.

« Elle se bat seule contre un système qui prévaut depuis des millénaires. Je ne donne pas cher de sa peau. D'ailleurs, les "libérateurs" n'ont jamais fait de vieux os. »

Le général était contrarié de s'être égaré dans ses pensées alors que la « voix » – cette voix dont il souhaitait ardemment qu'elle fût, comme il le croyait, celle d'une jolie femme – continuait à décrire en détail les exploits de cette Lionne blanche qui ébranlait le système. Apparemment, après avoir exposé le problème, on en était arrivé aux ébauches de solutions.

— Elle apparaît puis disparaît à sa guise, dit l'un d'eux.

— Difficile, dans ces conditions, d'organiser un attentat qui aurait l'air d'un accident. Quand on ignore tout de l'agenda de la personne à abattre, on est réduit à l'impuissance, rétorqua un autre.

La « voix » leur intima le silence.

— Une section de la phalange noire n'a-t-elle pas été affectée à cette tâche ? demanda un second maître missionnaire.

La « voix » n'apprécia pas la question, mais elle se garda bien d'exprimer sa hargne.

— Ils ont lamentablement échoué, laissa tomber ce même missionnaire, d'un ton las.

D'autres images de Storine continuaient à envahir la plaque holographique. Autour de la table, chaque personnage restait plongé dans ses propres pensées.

« Le problème, songea le général, c'est que le petit peuple de l'empire est en extase devant cette fille. Même les populations des planètes riches, à qui elle fait le plus grand tort, l'acclament à l'égale d'une déesse. Ces gens-là n'ont plus d'âme. Ce ne sont plus que des consommateurs qui ne souhaitent qu'une chose : que leurs petites vies insignifiantes ne soient pas bouleversées. Ils sont obnubilés par les richesses matérielles et par le désir de posséder et, paradoxalement, ils s'ennuient dans leur confort. Cette Lionne blanche représente donc pour eux une distraction originale toute passagère. Pourtant, le danger reste entier. S'ils ne se méfient pas, elle prendra sur eux de plus en plus d'ascendant. »

Le cheminement intime du général semblait être partagé par la majorité silencieuse. Un vice-roi (le général sourit en le reconnaissant) se leva et lança une idée :

— Nous ne savons peut-être pas avec exactitude où elle va apparaître, mais nous connaissons bien les planètes où sévissent les situations les plus conflictuelles !

Tous furent ravis que leur collègue, en fin diplomate, évite l'emploi du mot « injustices ». Ou, pire, cet énoncé encore plus navrant d'« exploitation abusive des populations les plus vulnérables dans le seul but d'amasser d'immenses fortunes et de conserver un pouvoir absolu ».

Car il existait depuis longtemps un plan concerté pour obtenir ce pouvoir suprême. Personne n'osait prononcer le nom de celui qui tirait toutes les ficelles, mais il flottait dans l'air, aussi présent parmi eux que cette « voix » qui menait le bal.

« De toute façon, c'est bien connu, l'homme ordinaire est incapable de se gouverner tout seul. L'histoire le prouve. Les peuples, ignorants par nature, s'en remettent toujours à plus fort et à plus intelligent qu'eux. La vérité, c'est que se gouverner eux-mêmes leur coûterait trop d'efforts. »

Satisfait d'avoir résumé la situation avec autant de brio, le général évita de voir ce que ce même raisonnement contenait d'erreurs.

— Il va falloir faire preuve d'initiative. À situation nouvelle, nouveaux procédés, préconisa un autre membre de leur société secrète.

La « voix » approuva la motion, puis termina en exhortant chaque membre à se préparer au pire, car, ajouta-t-elle :

— La Lionne blanche va encore frapper. On nous a signalé sa présence sur la planète Sinius 3. Mais avant que nos troupes d'élite puissent s'y rendre, elle avait déjà disparu.

Elle n'ajouta rien mais une petite femme, chef occulte d'une des plus riches familles de l'empire, tressaillit en entendant nommer la planète en question où, à cause de la Lionne blanche, elle venait de perdre des bénéfices nets dépassant les vingt milliards d'orex.

Peu après, la réunion fut dissoute et chacun regagna sa navette de transport. Pour sa part, le général était déçu. Il s'était attendu à recevoir des instructions précises concernant une éventuelle insurrection des troupes contre la famille impériale. Il n'avait rien obtenu de tout cela et repartait les mains vides, avec, en plus – et c'était bien cela le plus agaçant – une irrésistible envie de rencontrer cette merveilleuse Lionne blanche.

— Ils sont partis?

Le vieillard posa une main sur la nuque de la jeune femme. La caresse, familière, la calma aussitôt. Elle prit une profonde inspiration. La fatigue des dernières vingt-quatre heures se faisait sentir. Devant le hublot en losange, ils regardèrent les navettes des membres de leur société secrète réintégrer un à un l'espace normal.

— Tu es épuisée, lui dit le vieil homme.

En fait, il la sentait tendue.

« C'est plus de la colère que de la fatigue. »

— Cette réunion n'a conduit à aucune décision concrète, se plaignit-elle.

Védros Cyprian, le grand chancelier impérial, contempla sa fille unique. Qu'elle était belle ! Tout, dans son attitude et son apparence, faisait penser à une princesse de sang impérial. Son port de tête noble, son visage blanc aux traits réguliers, son front haut légèrement bombé, ses larges yeux mauves en amande, son menton carré et résolu, la longue chevelure noire aux reflets bleutés qui tombait, soyeuse, sur ses épaules de mannequin.

« Ma fille », se répéta fièrement Védros Cyprian.

— Tu leur as parlé et ils t'ont écoutée, lui dit-il d'une voix douce comme lorsqu'elle était enfant. Plus que les mots prononcés, ce sont les idées qui comptent. Ils sont repartis la peur au ventre. Celle de voir nos plans compromis. Celle de voir leurs vies prospères voler en éclats, leurs grands domaines envahis par la populace. Sois certaine que cette réunion, malgré les apparences, a porté fruit. N'oublie pas que les décisions qui importent vraiment ne sont jamais discutées en larges comités.

Il tapota sa tempe dégarnie de son long doigt doré aux ongles soigneusement manucurés, l'air de dire que les décisions finales n'étaient prises que par lui. Il observa le pli amer qui s'étirait le long des lèvres pleines de sa fille.

— Anastara, ma chérie, tu crois peut-être que la Lionne blanche a pris trop d'importance dans le cœur et les pensées de tout un chacun dans l'empire, mais n'oublie pas que ce qui se trouve au sommet tombe de très haut. Crois-moi, le sommet est un endroit périlleux pour celui ou celle qui s'y trouve.

Ils se dévisagèrent. Pensaient-ils tous deux à l'impératrice Chrissabelle ?

Anastara se leva, fit claquer d'impatience sa longue cape de cuir noir. Elle savait que son père possédait des intérêts financiers dans la plupart des gros consortiums impériaux. Ainsi, le scandale de *Critone*, comme on l'appelait désormais, avait entraîné le retrait de la Roc Imperex, la démission du directeur de la station et, accessoirement, le suicide du colonel Shirf Shader.

Cet officier obéissant n'avait pas supporté l'échec de sa mission. Paradoxalement, Anastara, qui tentait d'assassiner ou de faire assassiner Storine depuis des années, se sentait proche de l'infortuné colonel. Son père dut lire dans ses pensées, car il la prit dans ses bras.

Même si la tête du vieil homme n'arrivait qu'à l'épaule de la jeune femme envahie d'un sentiment qu'elle détestait – la vulnérabilité –, elle s'y blottit.

— Elle m'a volé Solarion, laissa-t-elle tomber d'une voix tremblante de rage. Elle m'a volé ma place dans le cœur des dieux.

Védros Cyprian prit quelques secondes pour réfléchir avant de répondre. C'était vrai qu'il nourrissait le projet de faire déclarer sa fille unique, la seule et véritable «Élue de Vina» par le Saint Collège des maîtres missionnaires. Sur les soixante-douze membres, des vieillards presque séniles pour la plupart, il en contrôlait les deux tiers. Pourtant, l'aval seul du Saint Collège n'était pas suffisant. Il lui fallait aussi l'approbation de l'impératrice Chrissabelle. Depuis qu'Anastara était enfant, il promettait à sa fille qu'un jour elle serait impératrice et qu'elle régnerait aux côtés de Solarion, ce bellâtre inconstant dont elle était fâcheusement tombée amoureuse. Fâcheusement, car il n'est jamais bon, pour une femme de caractère, de trop aimer celui qu'elle entend manipuler.

Védros était également un maître dans l'art d'interpréter les textes sacrés. Storine avait subi, au long de ses aventures dans l'espace, quatre grandes initiations, à la suite desquelles elle avait appris quatre des cinq formules de Vina. Alors que ses conjurés hésitaient sur la conduite à adopter devant la popularité toujours grandissante de Storine (jamais encore il n'avait pensé à elle en l'appelant par son prénom), il « sentait », lui, que le moment du grand affrontement approchait.

Il prit sa fille par le poignet et la regarda droit dans les yeux.

— Il est vrai que la Lionne blanche représente une grave menace pour nos projets. Il y a une quinzaine d'années, j'ai cru enrayer ce danger pour toujours. J'ignore encore comment elle a survécu. Ce qui arrive aujourd'hui n'aurait donc jamais dû se produire. Mais maintenant que les faits sont là, il nous faut composer avec.

Anastara écoutait avec attention. Son père était d'ailleurs le seul être, avec Solarion (mais le prince l'ignorait), qui avait le moindrement d'emprise sur elle. Sa façon de parler, sa façon de penser ; il lui avait tant appris !

— Rassure-toi, ma chérie, tu as un grand rôle à jouer, toi aussi. Pourquoi crois-tu que Sakkéré, le dieu des Ténèbres, daigne te protéger depuis que tu es au monde ! Non, ne t'inquiète pas. Tu es ma Lionne noire et tu figures aux côtés de notre ennemie dans les prophéties.

— Tu crois que loin de réaliser la volonté des dieux, Storine est en réalité manipulée par des forces contraires ?

« Il n'est pas inutile qu'Anastara pense cela, songea-t-il. Pour le moment, en tout cas. »

Aussi choisit-il de ne pas répondre directement à sa question.

— Une cellule secrète composée d'un petit groupe de maîtres missionnaires, qui s'appellent entre eux « les prophètes de Vina », complote contre nous. Le meilleur exemple de cela demeure leur tentative de fiancer Solarion et Storine au terme de votre année passée au collège de Hauzarex. Grâce à ton heureuse initiative, leur manigance a échoué. Tôt ou tard, Storine retombera sous leur influence.

Étonné d'avoir, pour la première fois de sa vie, nommé à haute voix celle qu'il détestait par-dessus tout, Cyprian resta la bouche ouverte.

— Elle m'a volé Solarion, répéta Anastara d'une voix de petite fille éplorée.

« On en revient toujours à cela, se dit Védros. Le sentiment d'amour, le sentiment de rejet. »

Depuis les événements d'Ébraïs et la perte du *Grand Centaure*, le prince impérial vivait en dilettante. Il semblait ne plus avoir de goût pour rien.

« Sauf pour les exploits de cette aventu-rière ! »

Submergé de tendresse pour sa fille en peine, Védros décida qu'il fallait que cela cesse. N'était-il pas, bien plus que tous les maîtres missionnaires réunis, l'homme le plus puissant de l'empire ? Il embrassa son unique enfant sur le front et lui dit, les yeux brillants :

— Je sais où et quand la Lionne blanche frappera de nouveau. Ébora.

— La planète Ébora ?

— Je vais immédiatement donner des ordres pour que cette prochaine apparition de la Lionne blanche soit la dernière. Ma chérie, il est temps de faire mentir les pro-phéties.

Revigorée par la promesse de son père, la grande duchesse redressa la tête. Storine morte – morte pour de bon –, Solarion cesserait de lui résister inutilement comme il s'obstinait à le faire depuis des mois.

— Ébora sera son tombeau, prophétisa le grand chancelier.

15

Gésélomen

Éridess demanda à son interlocuteur de répéter la question, mais plus lentement. Le jeune Phobien se concentra. Grâce à son implant cérébral, il n'avait suffi que d'une heure et demie pour que Storine puisse dialoguer presque couramment avec les Bolikiens.

« Pour moi, ça risque de prendre six mois ! »

Gésélomen, la capitale de la terre déchirée de Tyrsis, était une ville où se côtoyaient la vie et la mort. La première s'exprimait avec insouciance dans les yeux des populations locales, jusque dans leurs vêtements amples teints de couleurs aussi chaudes que le fond de l'air, lourd de sable en provenance du désert. La mort, plus sournoise, veillait, tel un oiseau de proie, personnifiée par les arrestations quotidiennes, par les explosions de véhicules piégés et par les guerriers sulnites postés comme des conquérants aux carrefours des rues sales.

Après avoir négocié le prix de ses denrées avec le marchand, Éridess respira avec bonheur l'odeur sucrée des fruits qu'il venait d'acheter.

Les étals du marché à ciel ouvert sur lequel planaient mille odeurs enivrantes, lui rappelaient, mais en cent fois plus animée, la joie de vivre, simple et sans prétention, des Phrygissiens, les habitants du village près duquel son père, Caltéis, le marchand d'esclaves, avait jadis édifié son château de lave.

Comme elle lui semblait loin, sa planète Phobia !

Des enfants couraient entre les jambes des matrones venues pour acheter les denrées du jour. Dans le ciel, malgré l'implacable présence du soleil jaune, grondait le tonnerre.

« Les restrictions sont de plus en plus draconiennes. Les Gésélomiens se plaignent que leur ville est constamment la proie de deux factions ennemies. Et le gouvernement, cerné de toute part, n'est pas en mesure de leur garantir quoi que ce soit. »

Cela faisait presque dix jours qu'ils étaient arrivés sur la planète Ébora, à la manière expéditive de Storine : c'est-à-dire en employant la deuxième formule de Vina.

« On monte sur le dos de Griffo, Sto pense à l'endroit que la déesse (c'est en tout cas son interprétation) projette dans son esprit. Elle récite la formule. Tout s'estompe autour de nous. Griffo pousse un rugissement de joie, car il adore cette façon de voyager dans l'espace, de planète en planète. Puis, sans qu'on ait l'impression de bouger, l'endroit visualisé par Storine apparaît autour de nous, comme un décor placé là par des mains géantes. Et moi, je me retrouve avec un solide mal de crâne ! »

La cité de Gésélomen étendait l'ocre et le cuivre de ses toits de métal et de ses murailles sur des kilomètres à la ronde. Vieille de plusieurs milliers d'années, cette métropole était devenue, au fil des siècles, un centre historique et surtout religieux pour les millions de Bolikiens qui vivaient en grande partie dans la cité, mais aussi le long du littoral dans des sortes de camps retranchés, de même que dans quelques hameaux disséminés dans le désert.

Éridess distribua quelques-uns de ses go-roumos, sortes d'oranges vertes aussi grosses que des pamplemousses, à des gamins affamés. Il en garda quatre pour lui de manière à préparer, comme entrée, une soupe de goroumos que l'on servait froide en toute saison, accompagnée de feuilles d'abraises, un aromate à la fois sucré et poivré.

Tandis que les enfants le remerciaient en traçant, en l'air, le symbole de la Ténédrah, Éridess haussa les épaules.

« Storine dit que ces fruits sont gorgés de vitamines. Moi, je trouve que leur chair est un peu filandreuse. Mais si elle aime ça ! »

Ces petits Bolikiens, presque tous blonds aux yeux gris, étaient très beaux. Mais, chose étonnante, ils ne semblaient pas s'en apercevoir. Éridess, avec ses longs cheveux noirs et frisés qui ressemblaient à des ailes de corbeaux, sa peau verdâtre, ses yeux noirs et ses lèvres trop épaisses à son goût, réalisa qu'il aurait aimé naître blond.

« Comme Solarion. »

Il remonta les ruelles pentues et obscures, s'épongea le front, s'accouda à une haute borne-fontaine brisée. Les chauds rayons de Bartha, l'étoile jaune de ce système planétaire, faisaient resplendir les vieilles pierres grises des bâtiments historiques, et cuisaient les

briques brunes des habitations contempo-
raines, construites sans plan ni aucun sens
de l'esthétique au beau milieu de ce qui avait
jadis été un des grands centres de la vie artis-
tique et intellectuelle de la planète.

Comme il avait également acheté du sirop
de boucouk, cet animal à trois pattes geignard
et poilu qui produisait un lait si clair et si
sucré que les Gésélomiens en faisaient le com-
merce depuis des milliers d'années, le jeune
homme se dit que le dessert promettait d'être
fameux.

« Si Storine rentre à l'heure, ce dont je
doute, car elle est aussi ponctuelle qu'une
horloge cassée. »

Depuis leur arrivée sur Ébora, comme il
le faisait toujours, Éridess s'occupait de tout
en feignant de s'en plaindre alors qu'au fond,
il adorait ça. Grâce à la bague électronique
que lui avait donnée Solarion, il achetait tout
ce dont ils avaient besoin sans aucun souci
pour la dépense, puisque le montant de ses
achats était automatiquement débité d'un
compte secret ouvert dans une banque
d'Ésotéria au nom du prince impérial.

« Sto n'aime pas que je m'en serve, car
elle dit qu'avec chaque transaction, cette
banque d'Ésotéria peut savoir où l'on se trouve

et ce que l'on achète. Je me demande si elle n'est pas un peu paranoïaque.»

En quittant Storine après la destruction totale de la flotte de Marsor – «ou plutôt en me larguant», comme elle aurait dit –, le prince avait insisté pour qu'ils ne soient pas sans ressources. Par principe, Storine n'avait jamais utilisé sa propre bague. D'ailleurs, elle prétendait même l'avoir perdue lors de son séjour sur l'atoll d'Argonir, ce qui était sûrement vrai, car, si elle ne parlait pas beaucoup, elle ne mentait jamais.

«Heureusement, je n'ai pas les mêmes scrupules!» se dit Éridess en arrivant, ployant sous le fardeau de ses achats, à la porte de leur hôtel.

Avec le temps, Storine ne grimaçait plus à l'idée que l'argent leur venait de Solarion. Éridess savait très bien qu'elle n'était pas guérie de sa rupture avec le prince – il savait surtout pertinemment combien, à sa façon, elle était rancunière!

«En tout cas, même si elle pardonne – il en était lui-même un exemple vivant –, elle n'oublie jamais. C'est une sale tête de gronovore!»

En songeant à Solarion, Éridess éprouva un pincement au cœur. Une année ésotérienne s'était écoulée depuis la destruction du *Grand Centaure*. Depuis, Storine n'avait jamais plus prononcé à voix haute le nom du prince.

« Elle souffre en silence, comme toujours. »

De temps en temps, il arrivait qu'ils passent devant un diffuseur de nouvelles interspatiales. Ce genre de robot-sphère, appartenant à des médias privés, avait pour tâche d'informer les populations des planètes. Quand elle voyait le prince, Storine faisait semblant de passer son chemin. Mais Éridess savait que ses yeux verts avaient lu chaque mot écrit sur la plaque holographique, et que ses oreilles avaient enregistré chaque phrase prononcée par le robot-boule.

Le jeune homme s'arrangea pour ne pas répandre ses emplettes pêle-mêle sur le plancher poussiéreux du vestibule de l'établissement dans lequel il avait loué un petit appartement pourvu d'une grande chambre. La vieille tenancière, qui s'était méfiée d'eux dès le premier jour, le scruta de ses yeux gris profondément enfoncés dans ses orbites un peu creuses. Ses joues grêles et ses longs cheveux couleur de bronze fané – c'est ainsi que grisonnaient les Bolikiens – lui donnaient l'air d'une gorgone malfaisante.

« Pourtant, j'ai payé rubis sur l'ongle sans même marchander le prix de la location. J'aurais peut-être dû ! »

Le prétexte officiel qu'il avait donné à leur séjour dans les murs de Gésélomen était mince comme une vieille feuille de papier, car Storine et lui n'avaient vraiment pas l'air d'être de jeunes étudiants en histoire tyrsicienne en quête de bas-reliefs à déchiffrer.

« Elle soupçonne plutôt que nous sommes des amoureux qui cherchent à échapper à la tutelle de leurs parents. »

Cette pensée le fit rougir, même s'il avait accepté depuis au moins un an l'idée qu'il ne serait sans doute jamais plus que l'ami de Storine ; au mieux son frère d'armes. Ce qui augmenta encore son malaise vis-à-vis de Solarion.

Il attendit en pestant l'ascenseur bringue-balant qui devait le conduire au troisième étage.

« En fait, je vis presque en couple avec Storine… des moments merveilleux qu'eux deux n'ont jamais vécus. »

Cette réalité lui fit chaud au cœur. Même si partager le même espace que Storine était pour lui un combat de chaque jour.

« D'abord, elle s'est plainte du manque de confort de l'appartement. Mademoiselle a de plus en plus des goûts de luxe. C'est pourtant elle qui insiste toujours pour passer inaperçue, car elle ne veut surtout pas mettre ses missions, comme elle les appelle, en danger. Bien sûr, elle m'a bassiné pendant deux heures parce que je n'avais pas pris deux chambres, comme d'habitude. Sauf que, cette fois, c'était tout ce qui restait de disponible. Et puis j'ai quand même obtenu de la vieille bique un deuxième lit. Deux lits, que je lui ai dit. Deux ! Et que si elle n'était pas satisfaite de ça, qu'elle nous trouve un autre hôtel ! »

Mais en arrivant sur la planète Ébora, Storine s'était sentie épuisée. Comme chaque fois qu'elle utilisait une des formules de Vina. Le prix à payer pour bénéficier des largesses de la déesse. Alors Éridess devait la « recharger », comme elle disait. Il posait ses mains sur la nuque de la jeune fille et lui transférait une grosse partie de sa propre énergie vitale. Elle s'enfermait ensuite dans sa chambre et dormait de longues heures durant lesquelles Éridess, également très affaibli, devait tout faire pour qu'aucun bruit ne vienne la déranger.

« Ce qui n'est pas toujours simple. »

Parfois, il pensait à son père. Sur son lit de mort, le vieux Caltéis avait prophétisé : « Reste avec Storine, tu connaîtras un destin glorieux. »

« Ouais. En attendant, je fais la cuisine et le ménage. »

Le jeune homme étala ses fruits et ses légumes sur le comptoir de la mini-cuisine, rangea les denrées périssables dans l'espèce de glacière qui ne fonctionnait que sept heures par jour à cause des restrictions énergétiques imposées à la population par le gouvernement ; puis il entreprit de peler ses goroumos, dont le jus giclait de tous les côtés.

Soudain, il éclata de rire à l'idée de ce fameux « destin glorieux ». Cependant, comme le jour déclinait rapidement, il se mordit les lèvres. Storine était partie depuis plus de douze heures, seule, dans la cité, et il n'avait toujours pas reçu de nouvelles. « Telle que je la connais, elle n'a rien mangé depuis le petit déjeuner que je lui ai fait ce matin. » Cela faisait trois jours de suite qu'elle sortait ainsi. Pour quelle raison ?

— Je ne peux rien te dire. Imagine qu'on t'arrête !

Éridess n'avait pas relevé cette déclaration à l'emporte-pièce. Storine croyait-elle qu'il pourrait la trahir? Ou cherchait-elle seulement à protéger sa *mission*?

«Dans toute circonstance, on a le choix de croire ce qui nous arrange. C'est bien ça le plus terrible!»

Cette pensée le ramena à Solarion. Solarion qui, il y a plusieurs mois, juste après le «premier miracle», l'avait secrètement contacté. Il voulait des nouvelles de Storine. Comment allait-elle? Lui en voulait-elle encore? Était-elle heureuse?

Pris entre l'arbre et l'écorce, Éridess avait joué un rôle qui l'horripilait: celui d'intermédiaire. En répondant aux questions du prince au mieux de sa connaissance, mais sans jamais rien lui révéler de compromettant concernant leur mission en cours, il avait eu l'impression de trahir Storine. De la trahir… une deuxième fois! Depuis l'épisode de la station *Critone*, Solarion l'avait contacté à plusieurs reprises, ce qui faisait d'Éridess – du moins à ses propres yeux – un traître à répétition.

«Bien entendu, elle n'en sait rien. Si elle l'apprenait, elle serait capable de me filer un

265

coup de sabre ou en tout cas de ne plus me parler pendant des mois ! »

Vingt-trois heures soixante-douze approchaient. Le soir tombait par taches sur Gésélomen. Par moments, des gerbes rouges et parfois bleues éclataient dans le ciel. On pouvait croire à des feux d'artifice alors qu'il s'agissait en fait d'attaques surprises menées par l'armée d'occupation dans quelques bouges suspectés d'abriter des résistants. La déflagration des tirs de laser faisait sursauter Éridess. Depuis qu'ils habitaient dans la même chambre, il dormait mal. « Comme quand nous étions prisonniers de notre tube de dentifrice, sur Étatos. » Il regardait Storine dormir. Elle n'avait pas l'air de se rendre compte du danger.

« Je trouve qu'elle prend ses missions à la légère. Ou alors, la déesse lui parle dans sa tête et ça la rassure. Qui sait ? »

— Si elle n'arrive pas avant minuit, je jure que je bois tout le potage de goroumos et que je finis le dessert à moi tout seul ! ragea-t-il, mort d'inquiétude.

Il pensait à la cuvette des toilettes, supposément neuve mais qui, en réalité, comme presque tout dans cette ville assiégée, ne fonctionnait qu'une fois sur trois.

« Et encore, je suis optimiste ! »

Il se dit que Griffo, qui était resté dans le désert à les attendre, devait être bien plus heureux. Il pouvait chasser et dormir presque toute la journée en attendant que Storine l'appelle.

« Storine s'est plainte que les toilettes ne fonctionnaient pas. Ah ! Les femmes ! J'aurais mieux fait de rester avec Griffo ! »

Mais, dans le fond, il n'aurait échangé sa place pour rien au monde.

Soudain, une puissante déflagration fit trembler les vitres de l'appartement. Inquiet, il se pencha à la fenêtre juste à temps pour surprendre un mouvement furtif à la fenêtre située en face de la sienne, dans le bâtiment juste devant le leur. Depuis trois jours, il se sentait épié. Il avait tenté de s'informer sur ses mystérieux voisins. On lui avait répondu qu'il s'agissait de prêtres étrangers.

Mais, à cet instant, il se moquait bien de savoir si ces gens étaient là pour les espionner ou pas. L'explosion avait créé une énorme couronne de flammes incandescentes qui s'élevait au-dessus des bâtiments en direction du centre-ville.

— C'est le siège du gouvernement provisoire ! s'exclama Éridess.

Son cœur cogna dans sa poitrine.

En partant, ce matin, Storine – de mauvaise grâce sans doute, car cela n'était guère prudent – lui avait confié son projet de rencontrer secrètement Vikral El Nodour, le premier ministre bolikien.

La gorge nouée par un sentiment de panique inexplicable, Éridess sentit qu'une chose épouvantable venait de se produire. Vingt minutes plus tard, il entendit des bruits de pas précipités dans les vieux escaliers branlants. Il crut entendre la vieille tenancière murmurer des paroles indistinctes. Pensant aux mystérieux prêtres qui les épiaient depuis leur arrivée, et sachant que dans ce pays divisé par une guerre civile, la police religieuse était très sévère, il mordit ses grosses lèvres.

« Ça y est, on vient m'arrêter ! »

16

Une rencontre
au sommet

En se réveillant, ce matin-là, Storine avait pris soin de ne pas faire trop de bruit. Outre le fait qu'elle savait que cette journée serait décisive dans le déroulement de sa nouvelle «mission», elle ne tenait pas à réveiller Éridess. Tout en s'habillant d'une tunique légère magenta brodée de fil d'or le long des bras et sur les manches et d'un pantalon noir confortable serré par une cordelette de cuir, elle le regardait dormir. La lumière dorée de Barha, l'étoile jaune, se faufilait discrètement à travers les lourdes persiennes, ce qui, malgré l'étrange atmosphère d'attente et de peur qui régnait sur la capitale, annonçait une belle journée chaude et riche d'odeurs de toutes sortes.

En entrant dans leur cuisine, elle eut la surprise d'y trouver un petit déjeuner spécialement confectionné par son ami. « Sans doute avant qu'il n'aille se coucher, hier soir. » Éridess se découvrait des talents de cuisinier, et lui concoctait de somptueuses recettes avec presque rien. Storine se doutait que ce rôle lui plaisait. Ne lui avait-il pas dit, en la retrouvant sur *Critone*, qu'il était venu pour l'aider et pour la protéger ? Touchée par cette marque d'amitié et de tendresse, elle lui laissa un mot, puis elle noua sa longue cape vert émeraude sur ses épaules, rabattit la capuche sur son visage, et sortit de l'appartement sur la pointe des pieds.

Deux jours plus tôt, Éridess avait de nouveau procédé à un transfert d'énergie sur elle, et il lui fallait environ soixante heures pour se refaire une santé. Comme elle tenait à le remercier pour toutes ces petites choses dont il s'occupait avec enthousiasme juste pour lui faire plaisir, elle se pencha sur son visage endormi et lui plaqua une bise sur la joue.

C'était sa manière à elle de lui témoigner un peu de tendresse, alors même que son cœur et son corps de femme ressentaient chaque jour davantage la brûlure de l'absence de Solarion.

«Maître Santus disait que le corps des femmes est très sensible aux climats, aux pressions atmosphériques des planètes et à la position des satellites dans leur ciel.»

Pour se persuader que Solarion n'avait plus aucune emprise sur elle, elle tenta de se persuader que la planète Ébora avait décidément une très mauvaise influence sur ses hormones. Mais à vrai dire, elle n'y croyait elle-même qu'à moitié.

En sortant de l'hôtel, la lumière dorée de Bartha, aussi piquante que la pulpe d'un fruit frais sur sa langue, lui éclata en plein visage. Déjà, les petites rues étaient noyées de monde : réfugiés des camps construits de long du littoral, soldats déserteurs de l'armée régulière déguisés en mendiants, faux nécessiteux – il y en avait dans toutes les métropoles de l'empire –, ménagères résolues à obtenir les meilleurs prix aux étals des marchés ; bandes d'enfants dépenaillés en quête d'aventures alors même que cette ville était une véritable bombe à retardement. L'aube était pourtant à peine levée !

«C'est le signe que les Gésélomiens, malgré leur nonchalance proverbiale, sentent que leur gouvernement n'en mène pas large et que cela leur fait peur.»

Indifférente aux regards inquisiteurs des passants qui se demandaient sûrement pourquoi elle portait un lourd capuchon sur la tête alors que les coins d'ombre étaient nombreux et que l'air, chauffé à blanc, collait déjà les tuniques moites de sueur sur la peau, Storine repensa aux renseignements qu'elle avait récoltés au cours des deux jours précédents.

Cette sixième mission avait débuté comme les autres. La déesse lui était apparue en rêve et lui avait montré cette planète, Ébora, autrefois grand centre d'échanges commerciaux de l'empire. Malheureusement, à la suite d'une guerre larvée entre deux peuples fiers et obstinés qui avait perduré pendant des siècles, cette planète était devenue un simple protectorat impérial ne détenant plus qu'un semblant d'autonomie.

À la suite de ce rêve qui ressemblait davantage à une transe – un séjour merveilleux dans l'intangible jardin de la déesse –, Storine avait utilisé la deuxième formule pour se rendre sur Ébora.

Aujourd'hui était un grand jour. Son interlocuteur, un prêtre missionnaire nommé Brabek Vissor, qui faisait partie du conseil des ministres et avec lequel elle était entrée en contact deux semaines auparavant en utilisant la translucidation, lui avait dressé un portrait honnête et détaillé de l'explosive situation qui prévalait dans les territoires de Tyrsis. C'était lui qu'elle avait rencontré au cours des deux journées précédentes ; c'était également lui qui la présenterait aujourd'hui secrètement à Vikral El Nodour, le premier ministre nouvellement élu. « Élu par une faible majorité et l'aide occulte d'une cellule secrète des maîtres missionnaires d'Ésotéria, en lutte directe avec leurs collègues du Saint Collège », lui avait dit Brabek d'un air sombre empreint de mystère.

Storine en avait conclu que cette nouvelle mission était davantage qu'une guérison collective. Si elle réussissait, et cela ne faisait aucun doute dans son esprit, ce coup d'éclat deviendrait un symbole de libération des peuples opprimés, car les Bolikiens et les Sulnites, qui se disputaient ce territoire sacré, étaient tous deux des fidèles de Vinor et de Vina.

Tout en inspirant avec délice les épices exotiques refluant des rues voisines, où étaient installés les étals du marché central, Storine se disait que, décidément, la déesse avait le don de la placer dans des situations de plus en

273

plus difficiles et, qu'en plus, elle n'était pas toujours présente à ses côtés.

Elle suait à grosses gouttes sous sa cape. Mais comment faire autrement alors que, de par l'empire, des millions de photos d'elle circulaient, prises par des amateurs ou quelques médias chanceux présents au bon endroit au bon moment lors de ses apparitions précédentes aux quatre coins de l'espace connu.

« Si j'ôte ma capuche, on me reconnaîtra et c'en sera fini de ma présence incognito. »

Brabek l'avait bien prévenue : « Il est impératif que les espions sulnites en poste à Gésélomen ignorent votre présence. »

Comme les Sulnites occupaient presque au grand jour, et officiellement, la ville et une partie du pays, Storine avait l'impression de s'enfoncer dans une véritable toile d'araignée géante.

« Aussi collante que ma tunique ! »

Puisque la déesse lui faisait parfois cruellement faux bond aux moments les plus importants – pour quelles obscures raisons ? « Sans doute pour me mettre à l'épreuve. » –, Griffo manquait beaucoup à Storine.

« Mais là encore, je n'avais pas le choix. Avec Griffo dans la ville, plus question de passer inaperçue. »

Enfin, elle atteignit la «zone bleue», un quadrilatère hautement sécurisé dans lequel étaient regroupés les principaux ministères ainsi que le palais du premier ministre.

Elle présenta le laissez-passer électronique que lui avait remis Brabek et dépassa les trois guérites militaires en soufflant de soulagement, car elle aurait été bien en peine d'expliquer à ces soldats qu'elle était l'Élue et que leur chef l'attendait. Une petite escorte composée de quatre soldats aux visages moroses l'accompagna dans un dédale de longs corridors sombres mais climatisés, ce qui lui fit un bien immense.

«Rien n'est plus gênant que d'arriver devant une tripotée de ministres dans un état de liquéfaction avancée.»

Elle plaisantait mais, en vérité, alors que tout dépendait de cette rencontre avec ce Vikral El Nodour, elle n'en menait pas large…

On la fit attendre dans une antichambre étouffante pendant plusieurs heures, sans eau ni nourriture. Humiliée et à bout de patience (les médias interspatiaux avaient bien insisté sur le fait que l'Élue, mignonne à souhait, possédait tout un caractère), elle faillit dégainer son sabre psychique à plusieurs reprises pour terroriser ces stupides fonctionnaires qui feignaient l'indifférence, mais aussi pour se défouler. Alors qu'elle était résolue à s'en aller (elle suait à grosses gouttes sous son capuchon), on la rappela enfin. Un serviteur condescendant la devança dans une enfilade de sombres corridors qui sentaient la moisissure tant les murs de ce vieux palais étaient imbibés d'humidité.

Elle fut introduite dans un grand vestibule ne possédant qu'une seule porte et aucune fenêtre. En examinant les parois, elle se rendit compte que cet endroit était une sorte de bunker à l'intérieur même du palais ministériel.

« Ils craignent à ce point les attentats », s'étonna Storine en reconnaissant, parmi la dizaine d'hommes et de femmes rassemblés, Brabek Vissor, son contact. À son entrée dans la pièce, chacun se tut et la dévisagea.

Après quelques secondes d'hésitation, car Brabek ne lui avait jamais donné de description physique du premier ministre, elle se dirigea vers un homme de haute stature dont les yeux brillants et la fine moustache couleur de bronze dénotaient une forte personnalité.

Elle sentit les membres du conseil se crisper. Apparemment, l'instant était solennel *pour eux*. Cette subtilité agaça la jeune fille.

Puis, alors qu'elle allait adresser la parole au grand moustachu, elle vit apparaître, en surimpression sur la silhouette de l'homme, le visage de la déesse Vina. Frappée de stupeur, Storine s'arrêta. Elle savait que personne d'autre ne voyait l'émanation spirituelle de la déesse. Celle-ci était magnifique. Un port de tête noble, une chevelure mauve cascadant sur des épaules à la fois fines et fermes. Des yeux brillant des feux de toutes les étoiles de l'empire, des traits harmonieux, une bouche généreuse dont le sourire, en cet instant, se voulait moqueur. Quand la déesse lui fit « non » de la tête, Storine comprit qu'on lui avait tendu un piège.

En fait, il s'agissait d'une ruse. Et si l'Élue n'était qu'une usurpatrice ? « Brabek me met au défi de reconnaître toute seule le véritable El Nodour parmi ses conseillers ! » Alors que l'homme moustachu, jouant son rôle à la perfection, lui souriait pour l'induire en erreur, elle vit se refléter dans les yeux de la déesse le visage gonflé et avachi du véritable premier ministre, caché, lui, derrière deux femmes qui se tenaient dans un angle de la pièce.

Storine fit volte-face et se dirigea vers le véritable Vikral El Nodour. Les deux femmes s'écartèrent respectueusement. L'Élue rabattit sa capuche sur sa nuque, dégaina son sabre psychique et l'alluma. Le premier ministre la trouva encore plus belle et plus impression-nante que sur ses photos. Plus inquiétante, aussi ! La flamme écarlate du sabre embrasa les participants. Ceux-ci retinrent leur souffle. Et si l'Élue était fâchée qu'on ait ainsi osé la mettre à l'épreuve ? Lentement, Storine abaissa sa lame sur l'épaule d'El Nodour.

Personne ne se doutait que Storine elle-même était complètement dépassée par les événements. La déesse avait pris possession de son corps. C'est elle qui tenait le sabre. Storine n'était plus, à cet instant, qu'une simple spec-tatrice en décalage avec sa propre enveloppe corporelle. La lame en duralium toucha l'épaule ronde et grasse du premier ministre. À cet instant, la jeune fille put l'examiner en détail : courtaud, le crâne dégarni, les traits tirés par l'angoisse, des yeux ronds gris clair comme des nuages de fumée, un triple menton tressautant sur une riche tunique garnie de pierres précieuses. Plus bas s'arrondissait une énorme bedaine, le tout se terminant par des jambes grêles que le premier ministre tentait de dissimuler sous une sorte de tunique de cérémonie qui s'arrêtait au-dessus des genoux.

Après quelques secondes d'éternité durant lesquelles l'air de la pièce sembla se charger d'une énergie douce et tendre, la déesse s'exprima par la bouche de Storine :

— *Anouré Vitré Tyrsis Komor-Té Kélonia.*

Storine se fit la réflexion que cette déclaration sonnait comme une de ses formules magiques. Elle ne comprit pas davantage quand Vikral El Nodour et tous ses conseillers, tétanisés par cette entrée en matière, tombèrent à genoux, leurs visages ruisselants de larmes.

Avant de disparaître dans les brumes violettes de son essence divine, Vina adressa un clin d'œil à sa fille. Puis Storine comprit que ces quelques mots, prononcés en ancien vinorien, étaient la formule consacrée qui aurait pu se traduire ainsi : « Fils de Tyrsis, je te reconnais comme mon représentant officiel sur cette Terre. »

L'assistance mit quelques minutes à se remettre de ses émotions. Storine fut alors complètement acceptée. Respectueusement mais avec chaleur, on la salua, on lui sourit.

Dans un élan de compassion pour ces gens qui espéraient tant de sa présence, elle leur serra la main puis traça moult Ténédrah, dans l'air, devant leurs visages reconnaissants.

Sur une vaste table ronde scintillait la silhouette holographique bleu et blanc des territoires de Tyrsis : une carte parfaitement détaillée sur laquelle figurait le moindre village, le plus petit cours d'eau ainsi, bien sûr, que la position des armées sulnites, prêtes à fondre sur Gésélomen, officiellement pour aider le gouvernement provisoire à se débarasser de ses propres rebelles ; officieusement pour donner le coup de grâce à ce même pouvoir bolikien.

Intriguée au plus haut point, Storine se fit expliquer la situation en détail, car elle se doutait bien que Brabek n'avait fait qu'effleurer le problème.

Tandis q'El Nodour, tout ragaillardi par la reconnaissance officielle de la déesse, se montrait très volubile, Storine observait du coin de l'œil les conseillers du premier ministre. Deux femmes ainsi qu'un homme de haute stature mais voûté, au regard sombre et aux traits lourdement maquillés l'intriguaient plus que les autres.

— Depuis trois mille ans, disait El Nodour, Bolikiens et Sulnites se disputent les territoires de Tyrsis. Pourtant, à l'origine, nous sommes issus du même peuple : les Tyrsiciens. Deux frères sont les ancêtres d'une même tribu qui a été scindée en deux à la suite d'un différend survenu entre les deux fondateurs. Lequel d'entre eux a réellement fondé Gésélomen ? Nul ne le sait plus. Pour que personne ne le découvre, au fil des siècles, des factions sulnites et bolikiennes ont dévasté les temples et effacé les inscriptions gravées dans la pierre.

Une des deux inconnues, vêtue d'un costume trois pièces sévère, les cheveux coupés court, était une observatrice impartiale envoyée sur place par le gouvernement impérial. Son attitude réservée, comme si elle se trouvait là par hasard, mettait Storine mal à l'aise sans qu'elle sache exactement pourquoi. La seconde femme, sans doute originaire du pays, portait une longue robe tissée dans une étoffe rouge si légère qu'elle semblait taillée dans une brume de lumière. Ses longs cheveux blonds étaient retenus sur sa nuque par une résille savamment ouvragée de fil d'argent, tandis qu'une voilette translucide laissait entrevoir le plus charmant visage que Storine ait jamais vu.

S'adressant directement à Storine, El Nodour se permit une digression qu'il jugeait extrêmement importante :

— Vous avez sans doute compris que la ville est déjà officieusement occupée par l'armée sulnite. C'est une concession que nous avons dû faire pour prouver au gouvernement impérial (il jeta un coup d'œil sévère à l'observatrice) notre bonne foi. Mais cette occupation est perçue par la population comme un acte de soumission qui exacerbe les haines des mouvements radicaux de mon propre gouvernement, car ils souhaitent, eux, une action d'éclat brutale.

El Nodour garda pour plus tard les considérations géopolitiques et poursuivit en haussant la voix, tandis que deux de ses conseillers posaient sur un lutrin une lourde roche de grès rose parsemée de pictogrammes.

— De rares pièces d'archéologie, comme celle-ci, ont pu être sauvées des profanateurs on ne sait par quel miracle. Ces symboles racontent la venue de la Lionne blanche sur Ébora. Il est écrit que l'Élue jaillira de nuages enflammés et répandra la sagesse et la grâce de la déesse dans l'âme des gouvernants et des populations.

Presque timidement, El Nodour s'approcha de Storine, traça dans l'air le signe de la Ténédrah – ces gens étaient décidément très respectueux de la mythologie impériale –, puis il lui dit, extatique :

— Et vous êtes venue ! Enfin, la prophétie va s'accomplir.

Il y avait tant de ferveur dans sa voix que Storine éprouva un doute accablant. « Comme chaque fois, d'ailleurs, devant la tâche à accomplir ! Mais en fait, tout se déroule très bien et, de toute manière, je m'en fais toujours pour rien. »

L'émanation subtile de la déesse avait disparu. Storine ne la sentait plus dans la pièce.

« Heureusement que la climatisation fonctionne à plein régime, sinon cette pièce est si sombre, si "fermée" que j'aurais l'impression d'étouffer. »

Sentant qu'elle pourrait ressentir les premiers signes d'une crise de claustrophobie – elle développait d'étranges pathologies depuis quelque temps –, elle respira profondément. Prenant sur elle, l'Élue assura le premier ministre bolikien qu'elle était venue pour régler tous les conflits, et qu'elle ne repartirait que lorsqu'un traité de paix serait signé entre les deux peuples.

El Nodour poursuivit :

— Il se trouve que la tribu adverse, les Sulnites, bénéficie depuis quelques décennies de l'appui du grand chancelier impérial, Védros Cyprian. Cela n'apparaît pas au grand jour, bien sûr, mais d'énormes intérêts économiques et politiques sont en jeu dans la guérilla qui nous oppose. Je suis certain que le président sulnite a fait alliance avec Cyprian pour qu'une fois Gésélomen sous son contrôle, il octroie aux compagnies impériales des licences exclusives d'exploitation de nos matières premières au détriment de nos propres industries. Des produits de luxe tels que le cirsiss, une épice rare qui pousse dans notre désert et qui est utilisée dans la composition de nombreux mets à travers l'espace ; ou bien nos réserves de sernium olya, une huile qui sert à la production d'électricité. Le développement ou l'exploitation de ces produits passeront sous contrôle impérial au détriment des intérêts de nos concitoyens.

En entendant prononcer le nom de Védros Cyprian, Storine se remémora nombre de petites conversations éparses qu'elle avait eues avec Solarion. Elle en avait retenu l'essentiel : Cyprian était l'homme fort de l'empire. Il avait la mainmise sur l'économie et contrôlait également les sphères politiques et militaires, à tel point que l'impératrice, même si elle n'aimait pas ce fils adultérin de feu l'empereur Ramaor, son mari, était obligée de composer avec lui. Anastara, la rivale et ennemie jurée de Storine, était justement la fille de cet homme tout-puissant.

El Nodour et ses conseillers durent sentir que l'Élue n'aimait pas tellement Cyprian, et cela les conforta dans leur idée qu'elle seule pouvait les sauver. Les heures s'écoulaient. La nuit devait être tombée depuis longtemps. On leur avait apporté de quoi se restaurer. Storine songea à Griffo qui errait dans le désert en attendant ses ordres, ainsi qu'à Éridess qui s'inquiétait sûrement de sa longue absence.

Profitant d'un court répit (car El Nodour était un vrai moulin à paroles), Storine détailla le visage sombre de ce grand homme étrangement voûté qu'elle avait déjà remarqué et dont elle trouvait la présence en ces lieux presque déplacée. Qui était-il? Un chef des services secrets? Un agent de sécurité déguisé? Quelque chose, dans son attitude, lui semblait suspect et vaguement familier. Elle tressaillit.

Tandis que le premier ministre enchaînait sur des questions de pure stratégie militaire, car il était hors de question qu'il rencontre à nouveau Syrd Dollon, le président sulnite, Storine vit cet inconnu se rapprocher d'elle en même temps que la femme aux cheveux courts.

Tout d'abord, le geste de la déléguée impériale sema la confusion dans la pièce. Elle déboutonna sa combinaison comme si elle avait trop chaud, ce qui n'était sûrement pas le cas. Il y avait aussi l'expression de son visage, la dureté de son regard. La seconde femme, la belle blonde voilée, esquissa elle aussi un mouvement, mais en direction du premier ministre. Comme si des sonnettes d'alarme hurlaient dans sa tête, Storine songea à dégainer son sabre.

Pour quelle raison ? Elle l'ignorait. Mais une menace sournoise venait de se révéler comme le feu qui surgit après la fumée. Les yeux ronds, les membres du cabinet ministériel virent la femme envoyée par le gouvernement d'Ésotéria ôter sa veste sombre. Quand ils aperçurent le mécanisme de mort sophistiqué qu'elle portait attaché autour de son torse, ils blanchirent d'effroi.

— Bombe ! s'exclama l'homme faussement voûté en se ruant sur Storine qu'il renversa sous son poids.

Ils roulèrent tous deux sous la lourde table alors qu'un éclair mordoré les enveloppa. En une fraction de seconde, Storine eut le temps de voir l'autre femme, voilée à la mode bolikienne, se jeter sur le premier ministre.

Un énorme éclair blanc jaillit. Un bruit sourd comme un grondement de tonnerre emplit la chambre de sa gigantesque déflagration. Les parois gémirent, se tordirent, puis éclatèrent sous la pression.

L'avant-dernière pensée de Storine fut pour la déesse qui ne l'avait pas prévenue de la présence de ce kamikaze. La dernière fut un véritable cri de panique adressé à Griffo.

« Au secours ! »

Puis le palais ministériel explosa et Storine perdit connaissance…

17

Père! Oh mon père!

La déflagration qui emporta toute une aile du palais ministériel éclaboussa de ses flammes rousses et ocres le ciel nocturne de Gésélomen. En quelques minutes, les rues furent envahies par des citadins en état de choc et par des soldats hébétés. Il régnait dans la foule une telle confusion que l'homme et son fardeau n'eurent aucun mal à se glisser entre les patrouilles des véhicules d'urgence et les soldats incapables d'obtenir des ordres cohérents de leurs supérieurs.

Lorsqu'il parvint à se fondre dans la populace qui piétinait et hurlait de terreur dans les rues en scrutant le ciel comme s'ils pouvaient y lire un résumé des derniers événements, l'homme déposa doucement son fardeau contre un vieux mur décrépit. Au-dessus de leurs têtes, la chaleur de l'incendie causé par la déflagration léchait les murs et faisait scintiller les toits.

Son premier soin fut de s'assurer que Storine respirait normalement. Il rabattit la capuche de sa cape sur sa nuque et scruta son visage. Un sentiment de plénitude l'envahit. C'était bien elle, telle qu'il l'avait toujours gardée dans son cœur. Oh! Elle avait grandi, elle était presque devenue une adulte, mais sous les traits de cette jeune fille farouche de dix-sept ans, il contemplait encore ceux de la fillette qu'elle était il n'y avait pas si longtemps.

Storine claquait des dents. Ses yeux verts effilés sur les tempes semblaient perdus dans un cauchemar sans nom. Elle haletait péniblement et tremblait de tous ses membres. Pour la calmer, l'homme la prit dans ses bras et la serra contre lui en murmurant des paroles apaisantes dans ses cheveux mouillés de transpiration. Recroquevillée contre sa poitrine musclée, elle ressemblait à un petit animal fragile qu'il fallait à tout prix protéger. Même si elle le fixait et qu'il venait de se débarrasser de son masque de chair artificielle et de sa lourde perruque noire, il était persuadé qu'elle ne l'avait pas encore reconnu.

Soudain, il entendit des piétinements dans la rue. Les quelques passants rassemblés, dont certains étaient en pyjamas, s'écrièrent d'effroi à la vue de la demi-douzaine de soldats entièrement vêtus de noir qui venait de surgir. Bien décidé à se défendre, l'homme adossa la jeune fille contre un mur, puis il dégaina un sabre psychique qu'il alluma. Se mettant en garde tandis que ses adversaires se positionnaient de manière à l'acculer au mur, il plia les genoux et, de sa main gauche, il fouilla dans la lourde cape vert émeraude de la jeune fille. Quand il dégaina un second sabre psychique qu'il alluma également, ses assaillants reculèrent d'un pas, car l'homme arborait un sourire carnassier rempli de morgue et de défi.

Pendant quelques instants, ils se firent face : six officiers de la phalange noire et un colosse à la barbe et aux cheveux blonds. Ses yeux bleus incroyablement mobiles et perçants, son large front doré et son visage massif à la beauté animale révélaient l'homme d'expérience qui avait su aller au bout de ses rêves et apprivoiser chemin faisant tous ses démons intérieurs.

Puis les deux lames des sabres psychiques s'entrechoquèrent dans un grésillement à glacer le cœur. Manœuvrant à une vitesse et avec une adresse imparable, il égorgea en une seule botte deux de ses assaillants, brisa leur cercle et réussit à scinder en deux groupes ses quatre derniers adversaires. Une dizaine de curieux l'aidèrent sans s'en rendre compte en se mêlant aux soldats que l'homme déséquilibrait du bout de ses lames. Soudain, alors qu'il risquait de se faire renverser par trois de ses assaillants, il fit jaillir d'un de ses sabres un rayon de lumière qui faucha le soldat posté dans son dos. Brisant la garde des trois derniers soldats, il en piqua un au cœur, en décapita un deuxième. Le troisième s'écroula, une des deux lames plongées dans son thorax jusqu'à la garde.

Sans s'occuper des passants impressionnés par ce combat de titans, les avant-bras teintés de sang, il éteignit ses sabres, les remit à leur place, puis il prit le visage de Storine entre ses grosses mains piquetées de taches de rousseur.

— Sto ! Reviens à toi, je t'en prie !

Durant tout le combat, incapable du moindre mouvement, elle avait gardé les yeux et la bouche grands ouverts, aspirant de profondes goulées d'air chargé des miasmes de l'incendie qui semblait se propager à des bâtiments connexes. À bout de patience, il jura :

— Par les cornes du Grand Centaure !

Peu à peu baignée par la lumière des hautes flammes semblables aux effets d'un feu d'artifice, Storine recouvra son calme. Ses yeux firent le point sur le colosse blond qui lui souriait ; elle sentit la chaleur brûlante de ses mains plaquées sur ses joues, esquissa une grimace qui se voulait un sourire. Ses jambes se défilèrent lorsqu'elle essaya de se remettre debout et elle étouffa un cri de douleur.

Marsor tâta ses mollets puis la cuisse droite de son pantalon imbibé de sang.

— C'est un éclat. Il faut te l'extraire tout de suite.

Il tourna la tête et ses longs cheveux blonds veinés de fils blancs s'éparpillèrent sur sa nuque et ses joues. Ce furent ce mouvement familier et l'éclat fauve de son regard qui ramenèrent Storine à la réalité.

— Père ? murmura-t-elle, hésitante comme si elle contemplait un fantôme.

Il la serra contre lui rapidement, lui mit un doigt sur la bouche pour l'inciter au silence. Il fendit ensuite la foule rassemblée. Sans la moindre gêne, il bouscula un jeune homme, s'excusa, puis lui arracha la carte magnétique qui contrôlait la mise en marche de son scout'air stationné à l'angle de la rue.

Il prit Storine dans ses bras, la souleva comme une grande fleur et la porta jusqu'au mini-véhicule aérien.

— Je te l'achète ! déclara-t-il au jeune homme en lui remettant une poignée de losanges d'argon entre les mains.

L'instant d'après, il disparaissait avec l'Élue entre les toits des maisons.

Ils arrivèrent peu après devant l'hôtel où logeaient Storine et Éridess. Marsor ordonna à la tenancière de surveiller son scout'air, et celle-ci obtempéra sans discuter. Impressionnée par la présence de l'homme, par le ton autoritaire de sa voix et par son regard bleu qui semblait percer les murs, elle le regarda monter les escaliers en portant délicatement entre ses bras cette jeune fille mystérieuse qu'elle jalousait en secret.

Marsor donna un grand coup de pied dans la porte de l'appartement, et sourit en découvrant le visage terrorisé d'Éridess.

— Sto est blessée à la cuisse droite. Vois si tu peux la soigner.

Le jeune Phobien resta paralysé d'effroi. Mais en contemplant son amie que le grand pirate avait déposée sur le premier lit, il s'agenouilla auprès d'elle.

— Tiens ! Coupe son pantalon avec ça !

Marsor lui tendit un poignard à la lame recourbée sur le manche duquel, aussi confus et en état de choc qu'il se trouvait, Éridess reconnut, gravé dans le métal, le symbole des Braves.

L'Amiral marcha jusqu'à la fenêtre et tira les rideaux. Puis, tandis qu'Éridess s'employait à dégager la plaie, il fourra pêle-mêle, dans un des sacs de voyage achetés par le jeune homme, leurs affaires les plus importantes : quelques vêtements, le mnénotron d'Éridess, un nécessaire de toilette.

— Alors ?

Le Phobien fit une grimace.

— Je ne sais pas ce qui est arrivé (sous-entendu : vous ne m'avez toujours rien dit !), mais un minuscule éclat de métal s'est fiché dans la chair. Elle saigne beaucoup, mais je ne crois pas qu'une artère ait été sectionnée.

— Tu peux l'extraire ?

« Comment mentir ou se taire face à un pareil regard ? » se demanda Éridess.

— Je vais essayer.

Un cri de terreur suivi de plusieurs craquements, dans les escaliers, les avertirent d'un danger. Marsor respira profondément à la manière de ces hommes qui savent d'instinct reconnaître une menace. Contre toute attente, alors même que d'autres locataires hurlaient d'épouvante, il haussa négligemment les épaules. L'instant d'après, une haute silhouette blanche envahissait le séjour, puis la chambre.

Éridess ne put s'empêcher de sursauter devant Griffo, toutes griffes sorties, qui grondait de colère et d'inquiétude.

— Tout doux, mon jeune ami, déclara Marsor en tendant vers le fauve une main tachée de sang.

Une fraction de seconde, il songea à ce sang sur sa peau et se dit que ce n'était pas une bonne idée. Mais il avait confiance. Griffo était loin d'être bête, il saurait le reconnaître avant de lui sauter à la gorge. Tétanisé, Éridess retint son souffle. Griffo le connaissait bien. Mais se souviendrait-il de ce grand homme qui avait surgi, tel un spectre, et qui ne cessait depuis de donner des ordres ?

Le lion blanc aux yeux rouges rétrécis de fureur observait avec une curiosité croissante l'homme dressé devant lui et dont l'odeur, plus que familière, lui était agréable. Sa grosse tête oscilla de droite à gauche. Il tendit l'échine en direction de Storine, allongée sur le lit. Il vit Éridess agenouillé à ses côtés, puis il revint au pirate.

— Alors, tu me reconnais enfin ! s'enquit celui-ci.

Griffo cligna des paupières. Sa gueule hérissée de dents se détendit. Il sourit. Puis, à plusieurs reprises, il heurta l'épaule de l'homme avec son front. Marsor referma ses bras puissants sur la crinière du fauve.

— Je suis heureux que tu ne m'aies pas oublié, mon garçon ! déclara le pirate, soulagé.

Tous deux se tournèrent vers Storine qui gémissait doucement. Après avoir lavé la plaie à grande eau, Éridess posait maintenant sa main droite sur la chair ensanglantée. À demi consciente, la jeune fille étouffa un cri, puis elle serra la main gauche d'Éridess dans la sienne.

Marsor et Griffo virent ensemble « s'allumer » la main du jeune guérisseur. Le cœur du fauve battait à grands coups dans sa poitrine. Il revécut en un éclair l'intense émotion qu'il avait ressentie en captant l'appel télépathique de sa petite maîtresse : « Au secours, Griffo ! »; puis sa course éperdue dans le désert jusqu'aux premières habitations de la cité. Heureusement, se doutant qu'elle pourrait avoir besoin de lui, il s'était depuis quelques jours progressivement approché de Gésélomen. Il revit aussi la colonne de passants terrorisés qu'il avait laissée dans son sillage jusqu'à son arrivée à l'hôtel. La dernière étant cette vieille greluche de tenancière qui s'était littéralement évanouie au pied des escaliers.

— Je le tiens ! s'exclama enfin Éridess en prenant délicatement entre ses doigts l'éclat métallique.

De son autre main, il accéléra le processus de cicatrisation, si bien qu'au bout d'une minute la plaie ne saignait plus et avait même commencé à se refermer.

Dehors, des sirènes d'alarme appelaient les gens au calme. Des officiers de l'armée, parlant dans des porte-voix, ordonnaient à la population de regagner leurs logis. Malgré la fragilité de l'instant et les cris qui retentissaient dans les rues quand les gens faisaient mine de résister aux forces de l'ordre, Storine et Marsor le pirate ne pouvaient détacher leur regard l'un de l'autre. Péniblement, y croyant à peine, la jeune fille s'adossa contre son oreiller.

— Storine !

— Père ! Oh mon père ! s'exclama-t-elle alors, le visage inondé de larmes blanches.

Éridess songea qu'ils devaient avoir faim. Pourquoi ne leur offrirait-il pas de son excellent dessert ? En pareille circonstance, son esprit pratique un peu déplacé lui fit honte. Storine et l'ancien pirate se parlaient doucement tandis que Griffo ronronnait comme un chaton, assis à côté d'eux. Cette image de bonheur arrachée à la nuit et à la fureur des hommes était si incongrue – surtout dans la chambre d'un hôtel miteux sur une petite planète perdue dans l'espace –, qu'Éridess lui-même, pourtant guère romantique, eut envie de verser quelques larmes. Mais jugeant que deux personnes et un lion mis hors d'état par l'émotion des retrouvailles, c'était plus que suffisant, il résolut d'attendre d'être seul et tendit plutôt l'oreille aux bruits de la rue.

— Il faut partir, déclara-t-il presque à regret.

Storine poussa un petit cri, comme si le mot « partir » était soudain le plus détestable de la langue ésotérienne.

— Il a raison, Sto, approuva Marsor. Tu peux marcher ?

Elle se remit péniblement sur ses jambes et lui adressa un pâle sourire. Elle n'était pas au mieux de sa forme, mais il n'était pas question de se laisser capturer par les milices sulnites qui infestaient la ville.

— Allons-y !

« Oui, mais où ? » se demanda Éridess.

Habitué à commander, Marsor n'était pas homme à se laisser surprendre par l'adversité.

— Toi, Éridess, monte sur Griffo. Sto et moi partirons en scout'air. Direction le sud, le désert, la crête des montagnes. Rendez-vous là-bas. N'aie crainte, Griffo saura nous retrouver.

Une seconde agacé par ce discours de chef, le jeune Phobien comprit qu'avec l'arrivée de Marsor, c'en était fini de la douce et confortable vie commune qu'il avait jusqu'ici partagée avec Storine. Cette constatation faillit le rendre agressif. D'un autre côté, il était tellement rassuré et comblé par la présence du grand pirate, qu'il se reprocha immédiatement cet accès de mauvaise humeur.

Lorsqu'ils quittèrent l'hôtel, la vieille tenancière venait à peine de recouvrer ses esprits. En voyant le grand lion blanc redescendre majestueusement ses escaliers pourris, elle s'évanouit de nouveau.

— Que s'est-il passé ?

« Voilà une question aussi vaste et profonde que l'espace infini », songea Marsor en s'assurant qu'ils n'avaient pas été suivis.

Ils avaient quitté la capitale une heure plus tôt, et volé en direction du sud, à basse altitude, pour éviter d'être repérés par les radars sulnites. En arrivant lui-même sur la planète, Marsor s'était tout d'abord installé à l'intérieur d'une caverne, dans les montagnes entourées de vastes plaines désertiques. De profondes grottes formaient tout un réseau de cachettes naturelles parsemées de lacs, de rivières et de forêts souterraines, utilisées durant des siècles par les bandes de pillards.

Arrivés à l'aplomb d'une crevasse escarpée, Marsor y avait engouffré son engin. Ils avaient ensuite emprunté plusieurs boyaux tapissés de stalagmites et de stalactites géantes sculptées en piliers torsadés par les infiltrations d'eau durant des millénaires. Une lumière tendre, réverbérée de la surface grâce aux murs polis et arrondis aussi propres que des miroirs, dispensait sa poussière d'or comme l'aurait fait de sa main folle un magicien de légende. Après la violence des hommes, leurs cris, puis leur fuite précipitée, la relative fraîcheur de ces caves était rassurante.

Tout en faisant à sa fille adoptive les honneurs de son repère secret, Marsor cherchait le meilleur moyen de tout lui expliquer sans pour autant l'effrayer, car elle avait vécu assez d'émotions pour la journée.

— Griffo et ton ami Éridess ne tarderont pas à arriver, commença-t-il en débouchant un flacon de brahabini.

Ravalant son impatience et le vif plaisir que suscitait en elle ces retrouvailles pour le moins spectaculaires, Storine accepta volontiers le verre que lui proposait son père. Quelques bagages s'entassaient contre une paroi de roc brun veiné d'argent et de profonds sillons noirâtres tracés par l'humidité. Marsor alluma puis planta dans le mur une petite torche électrique.

«Où, quand, comment?»

Ces mots se bousculaient dans la tête de la jeune fille tandis que l'alcool, en brûlant sa langue et sa gorge, lui fouettait le sang. Malgré son tempérament de feu et son impatience légendaire, elle respectait les silences de son célèbre père.

«On ne force pas un homme tel que lui. On attend qu'il ouvre la bouche et on recueille ses paroles dans une vasque en or.»

Elle sourit en se remémorant ce poème appris par cœur au collège de Hauzarex mais dont elle avait oublié le nom de l'auteur. Elle et lui, enfin réunis à cinquante mètres sous terre, dans une caverne nue où chaque bruit existait de sa vie propre longtemps après avoir vu le jour : l'écho d'un mot, celui d'un écoulement d'eau persistant, la musique à peine murmurée d'un soupir.

« C'est extravagant, grandiose, mystique. »

Remise de ses émotions et ne ressentant plus qu'un léger picotement sur la cuisse, elle se mit à jouer avec son verre à demi plein. Sans se l'avouer, elle se sentait intimidée. Elle osait à peine respirer, comme lors de leur premier tête-à-tête, des années plus tôt, à bord du *Grand Centaure*. Ils avaient commencé par s'apprivoiser l'un l'autre. Puis une flamme soudaine avait jailli. Storine croyait se souvenir qu'ils avaient parlé des grands lions blancs d'Ectaïr. Ils s'étaient mis à rire, à s'étouffer de rire – un fou rire complice, aussi imprévu qu'une puissante vague qui roule à l'infini dans votre corps. À la fin, de sa voix rayée et ténue, Storine avait posé une question, une toute petite question, à la fois folle et naïve : « Vous êtes certain de ne pas être mon père ? »

Ils se contemplaient par delà les années et, s'apercevant qu'ils se rappelaient tous deux du même événement au même instant, ils se mirent à rire. D'abord avec retenue, comme deux amis qui se revoient après une longue absence, puis à gorge déployée ; un second fou rire, tonitruant, à six années de distance. Cette fois, Storine ne posa aucune question. Elle tendit simplement une main qu'il prit dans sa grosse patte de pirate. Et ce fut comme si ces années de lutte et de séparation n'avaient jamais existé ailleurs que dans un rêve tourmenté.

En attendant que Griffo et Éridess ne les rejoignent, Storine se cala plus confortablement contre la paroi fraîche et luisante. Après avoir longtemps cru qu'il était mort lors de l'explosion du *Grand Centaure,* elle le retrouvait, là, en chair et en os, aussi solide qu'avant, l'œil toujours aussi clair ; démuni de tout mais aussi puissant, aussi rayonnant qu'un soleil.

— Autant commencer par le début, non ?

Le corps tout entier recru de fatigue, les muscles détendus par le brahabini, elle hocha la tête.

— Juste avant l'explosion du *Grand Centaure,* j'ai assisté à un miracle, Sto, commença Marsor de cette voix lente et grave qu'elle aimait tant. La déesse Vina m'est apparue. Mon destin n'était pas, comme je le croyais, de périr avec ce qui restait de ma flotte. En regardant la déesse droit dans les yeux, je l'ai compris et je l'ai accepté. J'ai fui le vaisseau à bord du cercueil volant dans lequel reposait la vieille Ysinie…

Chaque mot amenait un flot d'images dans l'esprit de la jeune fille. La voix de son père comblait les vides. « Les mots sont comme d'immenses ponts, longs, longs comme des serpents d'or et de lumière. »

Marsor lui expliquait comment, ayant gagné un endroit sûr, il s'était élaboré d'autres visages, d'autres identités. Durant sa carrière de pirate, il avait prévu, sur une bonne dizaine de planètes, des caches secrètes contenant tout le nécessaire pour repartir à zéro. De l'argent, bien sûr, mais aussi de précieux contacts. Une solide chaîne d'amis, d'anciens lieutenants, de fils et de filles élevés sur Paradius, puis partis se placer aux quatre coins de l'empire comme des citoyens libres, riches et éduqués.

L'évocation de ces « fils et filles de pirates » mit Storine mal à l'aise. À ce jour, elle avait toujours puisé sa force dans l'assurance qu'elle était, pour Marsor, la seule qui ait jamais compté. Son père lut cette jalousie soudaine dans ses yeux si verts, et il lui sourit.

Bien sûr qu'elle était la seule qui ait jamais compté pour lui ! Elle, l'Élue des dieux, la fille qui commande aux lions blancs. Elle dont la personnalité, le caractère et l'énergie indomptables étaient comme un miroir dans lequel il contemplait son propre reflet. Fâchée contre elle-même d'avoir osé éprouver un seul doute sur la solidité de leurs liens secrets, elle l'invita à poursuivre.

— Depuis l'affaire de *Critone,* je suis à l'affût. J'ai longtemps étudié les prophéties et j'ai compris de longue date que tu n'étais pas une fille ordinaire. Avec Griffo à tes côtés, il aurait fallu être aveugle pour le croire. Mais il y avait plus.

Il hésita et elle sentit comme une sorte de voile lui tomber sur les yeux. Ces mots pouvaient raviver en lui des souvenirs trop pénibles pour être ici évoqués. Piquée au vif, elle voulut savoir. Néanmoins, une fois encore, elle respecta son silence.

— J'ai assisté, de loin en loin, à chacune de tes interventions. J'ai été ébloui par tes prouesses. Jamais, dans mes rêves les plus fous, je n'avais ainsi imaginé la venue de la

Lionne blanche. L'impact que tu as sur les gens, c'est incroyable ! La lumière dans leurs yeux après qu'ils t'ont vue ! Les larmes sur leurs visages ! Depuis que tu es née, tu possèdes une magie en toi. J'ai toujours pu constater à quel point tu avais un effet sur les gens. Les purs t'aiment et t'admirent ; les fourbes te craignent car tes yeux leur brûlent l'âme.

Presque assoupie tant le brahabini l'avait calmée, Storine écoutait son père. En même temps, elle voyait dans sa tête Griffo en train de courir vers elle. Boum ! Boum ! Boum ! faisaient ses lourdes pattes en cognant le sol, le roc ou le sable. Lentement, régulièrement, son cœur produisait le même bruit dans sa poitrine, mais aussi tout autour d'elle, dans cette pièce souterraine faite de roche polie. La petite torche grésillait, sa lumière douceâtre imbibait les parois sans jamais cesser de la caresser.

— Je suis arrivé sur Ébora peu de temps avant toi, guidé par les versets écrits par le prophète Étyss Nostruss qui évoquait à mots couverts le conflit opposant les Sulnites aux Bolikiens, aujourd'hui comme à l'époque où lui-même vivait. Tout laissait à penser que Gésélomen serait la prochaine ville où tu apparaîtrais pour instaurer la paix entre les deux peuples. Tu te demandes pourquoi, sans doute, je me trouvais dans le cabinet du premier ministre ?

Il remplit de nouveau son verre, mais à moitié seulement, de brahabini. Un instant, elle songea que cette boisson, elle l'avait découverte avec Ekal Doum. Ce souvenir pénible, elle devait le chasser de sa mémoire pour se concentrer uniquement sur les paroles de son père.

— Il se trouve que Vikral fait partie de la grande chaîne d'amis dont je t'ai parlé. Sachant que tu devais venir aujourd'hui au palais pour le rencontrer, il m'a été facile de me trouver présent sur les lieux, grimé comme un vieux majordome.

— C'est drôle, lui dit Storine d'une voix ensommeillée, moi je vous prenais plutôt pour une sorte d'agent secret.

La remarque pouvait sembler anodine. En réalité, elle permettait à Storine de choisir, en s'adressant à son père, entre le tutoiement et le vouvoiement. Jusqu'au dernier moment, en effet, elle avait hésité. Le respect l'emportait sur la familiarité.

— En fait d'agent secret, il y en avait bien un dans la pièce. Ou plutôt une. Cette belle femme voilée était chargée de veiller sur Vikral.

En un violent embrasement, la bombe puis l'explosion rejaillirent dans sa mémoire. Marsor leva une main impérieuse.

— Ne crains rien. Tout comme moi, Matusia, l'agente spéciale en question, a utilisé une ceinture énergétique. Elle l'a activée une demi-seconde avant l'explosion. Une bulle d'énergie protectrice s'est refermée sur elle et Vikral, semblable à celle qui nous a permis d'échapper à la mort. Sans même avoir perdu connaissance, je nous ai dégagés des débris et je t'ai portée dans les rues de la ville au milieu de la panique suscitée par l'attentat. Je suppose que Vikral et Matusia ont également survécu.

Tout s'expliquait. Enfin, presque tout. Tant de points restaient cependant tapis dans l'ombre!

À cet instant, des bruits résonnèrent dans la caverne voisine. Sabre au clair, Marsor se redressa d'un bond.

Mais ce n'étaient que Griffo et Éridess.

Alors que Griffo s'apprêtait a faire la fête à sa petite maîtresse, celle-ci sombrait dans un profond sommeil réparateur. Cette nuit-là, Storine rêva qu'elle se promenait dans le

309

merveilleux jardin de la déesse. Heureuse, elle était un peu étonnée de constater que, dans son rêve, elle n'avait que trois ans. De part et d'autre marchaient son père et sa mère, qu'elle tenait par la main. Émue et tremblante, elle osa lever les yeux sur leurs visages.

Vina ressemblait à Vina, mais le dieu Vinor arborait les traits de Marsor le pirate. Sombrant dans un bien-être et un sentiment de sécurité tel qu'elle n'en avait jamais ressentis de toute sa vie, elle s'abandonna à cette image.

18

Manipulations

Lorsqu'elle était d'humeur pensive, Storine aimait se perdre dans la contemplation des étoiles pour voir plus haut et plus loin que ses problèmes. Tôt le lendemain matin, elle ouvrit les yeux et resta quelques secondes dans l'obscurité, à écouter le goutte à goutte monotone d'un écoulement d'eau voisin. Engourdie d'avoir autant rêvé, elle ôta de son thorax la lourde patte de Griffo. Croyant s'être endormie un verre de brahabini à la main, elle était tout étonnée de le trouver là. Ravie, elle échangea avec lui un de leurs sourires complices qui se passaient de longues explications. En se levant, elle lui gratta le cou en l'appelant « mon bébé », ce qui fit ronronner le fauve de tendresse. Puis elle enjamba Éridess qui dormait non loin dans un sac de couchage inconnu.

Les événements de la veille formaient une sorte de brume grisâtre dans sa tête. Elle en extirpa patiemment les images et les colla les unes à la suite des autres d'une manière à peu près chronologique. Se rappelant le visage de l'homme qui l'avait sauvée de l'explosion, elle faillit crier de dépit.

«Ai-je rêvé tout cela?»

Avidement, elle chercha des yeux un second sac de couchage, une seconde silhouette emmitouflée. Mais ils étaient seuls dans la chambre souterraine. Prise d'étourdissements, déprimée de se retrouver encore une fois enfermée sous terre, elle se massa les tempes.

«Le brahabini ne me vaut rien!»

Justement, les effets secondaires de cet alcool – en l'occurrence, une sacrée gueule de bois – étaient la preuve qu'elle n'avait pas inventé ses retrouvailles avec Marsor.

Elle s'engouffra dans un long boyau suintant d'humidité, traversa plusieurs salles dans lesquelles s'écoulait en cascade une eau blanche déjà presque tiède, puis escalada péniblement la paroi. Lorsqu'elle parvint au sommet, une odeur de sable lui piqua les narines. S'extirpant d'une trouée ouverte dans la roche, elle se hissa sur une sorte de dais de pierre et aperçut, dans le petit matin grisâtre, quelques collines brun et beige, des vallons sablonneux, des taches plus sombres composées d'entablements rocheux disposés à la diable, et le désert, immense, à perte de vue. Elle entendit les cris plaintifs de nombreux petits carnivores sans doute tapis dans les dunes et terrorisés par la présence de son lion blanc.

À défaut d'étoiles et de lointaines nébuleuses, son premier réflexe fut de contempler le ciel. Le plafond des nuages était bas et lourd. Témoins de la saison des orages secs qui s'installait, de sourdes détonations allumées de-ci de-là d'éclairs sombres animaient les épaisses masses tourbillonnantes, brassées comme par la main d'un géant dans un ciel de plus en plus menaçant. Storine inspira profondément la bonne odeur de l'orage qui se profilait sur le désert.

Une délicieuse impatience chevillée au corps, elle chercha des yeux une silhouette; prêta l'oreille afin d'entendre une voix d'homme grave et lente. Ainsi donc, elle l'avait enfin retrouvé !

«C'est plutôt lui qui m'a retrouvée !» se dit-elle en souriant.

Mais était-elle aussi heureuse d'être de nouveau à ses côtés que lorsqu'elle rêvait, avant la destruction du *Grand Centaure,* au jour prochain où elle se retrouverait devant lui ?

«Le vide est malin. On est poussé à le remplir et lorsqu'on y parvient enfin, on se demande bêtement si ce n'était pas mieux avant. »

Sans être certaine de bien comprendre son propre raisonnement, elle essaya de faire le point.

«J'ai retrouvé mon père, mais il semble avoir encore une fois disparu. »

Perdue dans l'immensité du désert, écrasée par la chape de nuages gris, le vrombissement du tonnerre faisait écho aux battements de son cœur. La réapparition de Marsor dans sa vie était si surprenante qu'elle en oubliait presque sa mission. Comme elle lui semblait blême et insipide, cette stupide querelle entre deux peuples !

«Surtout que ça dure depuis des millénaires ! »

Comme d'autres fracas de tonnerre suivis de leur cortège d'éclairs illuminaient le désert d'obscures lueurs tremblotantes, elle tendit machinalement sa main ouverte.

— Il ne pleuvra pas, lui dit soudain cette voix d'homme qu'elle espérait tant entendre. Chaque année, sous ces latitudes, Tyrsis subit les colères de ce que les habitants d'ici appellent les « pleurs morts du Prophète ».

Consciente de vivre une sorte d'aboutissement, elle le regardait sans parler, sans même penser. C'était un moment doux et paisible auquel les grondements du ciel donnaient du relief. Marsor se hissa à son tour sur l'entablement de pierre. Il allait tête nue, sans gants et sans le casque d'or qu'il arborait autrefois. Sur son pourpoint de cuir ocre-jaune, il portait un long manteau couleur taupe. Équipé du mnénotron d'Éridess, il s'en servait comme d'une paire de jumelles. Poursuivant sur sa lancée, il expliqua, alors même que Storine, il le savait, était perdue dans la contemplation de son propre bonheur :

— Savais-tu qu'Étyss Nostruss a brièvement vécu sur Ébora ? Accompagné par une famille de lions blancs, il a tenté de comprendre la cause des dissensions qui opposent encore aujourd'hui Bolikiens et Sulnites. Sans y parvenir. Depuis, les gens disent que ces éclairs sont la manifestation de son dépit, de son chagrin et de sa colère de n'avoir pas pu trouver de solution.

Ayant dit cela, Marsor se tut. Il scrutait attentivement la crête des dunes des alentours. Cette image rappela à Storine une scène semblable : son ami Santorin et elle, sur Ectaïr, dans le parc des lions blancs, juste après la mort de ses grands-parents adoptifs. Puis le commandor Sériac l'avait enlevée et elle n'avait plus jamais revu le jeune prêtre missionnaire.

Un instant, comme elle avait perdu Santorin, elle craignit de perdre son père. Lui jetant un coup d'œil, elle remarqua que le bas de son visage était figé. Que voyait-il dans le mnénotron d'Éridess ? Répondant à une autre de ses questions informulées, Marsor déclara :

— Ton ami m'a prêté son appareil. Quelqu'un de bien, cet Éridess. Nous avons longuement discuté, tous les deux, après que tu te fus endormie. (Il sortit un objet d'une de ses poches.) Il m'a même offert ce morphocollier que lui a confié le prince Solarion.

Stupéfaite par la soudaine générosité de son ami, Storine ne fit pourtant aucun commentaire. Elle avait une faim de lionne. Elle se demandait si Griffo avait été chasser, cette nuit, avant de la rejoindre dans la caverne. Auquel cas, il lui avait sûrement rapporté quelque chose à se mettre sous la dent.

— Que s'est-il réellement passé, hier soir, au palais d'El Nodour?

Elle-même surprise par sa question alors qu'une seconde auparavant elle s'occupait plutôt de son estomac, elle attendit la réponse avec impatience. Après avoir rêvé de la déesse et l'avoir entendue lui parler – elle en avait d'ailleurs oublié des bouts –, voilà qu'elle sentait à nouveau sa présence.

Marsor cessa d'observer un point précis du paysage et inspira profondément.

— Mon opinion est que cet attentat a été organisé non par les extrémistes bolikiens, mais plutôt par le grand chancelier Védros Cyprian. N'oublie pas que c'est l'envoyée officielle du gouvernement impérial qui portait la bombe attachée autour de son thorax.

— Mais… pourquoi?

Et soudain, elle comprit. El Nodour ne lui avait-il pas confié que d'énormes intérêts économiques étaient en jeu? En attisant les querelles entre Sulnites et Bolikiens, Cyprian précipitait leur perte pour rester le seul en mesure de faire main basse sur les richesses de la planète. Encore une fois, Storine se prit à haïr cet homme et cet empire despotique qui dépossédait les peuples de leurs biens. Déjà, lors de ses missions précédentes, elle s'en était indirectement prise à l'empire. Et l'empire, dans son esprit, cela signifiait Anastara, mais aussi Solarion et cette grand-mère, apparemment adorable et tendre, qu'il aimait tant !

— Sto ?

Le ton était si solennel qu'elle s'arrêta net de penser.

— L'heure est grave. Regarde !

Il ôta de son front le mnénotron d'Éridess et le lui passa. Fébrile, elle prit l'espèce de visière et l'ajusta sur ses oreilles, sous sa couronne de lévitation.

Un flot d'images et d'informations jaillirent en trois dimensions devant ses yeux. Elle vit les restes fumants de l'aile du palais ministériel dans lequel ils avaient failli mourir la veille ; elle entendit les reporters annoncer aux peuples la mort de tous les membres du cabinet du ministre, incluant le ministre lui-même, ainsi que, et c'était plus grave encore, la mort de l'Élue de la déesse, tous victimes d'un attentat commandité par des extrémistes bolikiens.

— Mais ce sont des mensonges ! s'exclama-t-elle, ulcérée.

— Le mensonge, la calomnie, la flatterie et les belles promesses sont les armes préférées des politiciens, rétorqua Marsor en rajustant les plis de son long manteau de cuir sombre.

Malgré le choc, Storine ne put s'empêcher de se dire que la présence de son père à ses côtés, comme celle, auparavant, de Santorin, de maître Santus, de Solarion, d'Éridess et même celle – cela la stupéfiait – du commandor Sériac, était rassurante. Agacée par cet aveu de faiblesse, elle voulut jurer : « Par les cornes du Grand Centaure ! » Mais elle se retint juste à temps, car n'avait-elle pas été la cause de la destruction du célèbre navire de l'espace !

— Que pouvons-nous faire ? lui demanda-t-elle.

Il prit un air étonné.

— C'est toi, l'Élue.

En d'autres termes : Ne le sais-tu pas ?

— Il faut intervenir, décida-t-elle.

Où, quand, comment ? Cela restait à définir.

Elle lui rendit le mnénotron.

— D'autant plus, ajouta-t-il, que Syrd Dollon, le président sulnite, utilise ces fausses informations à son profit. Sous le faux motif de venger ta mort et celle de Vikral, il est en train de masser une importante armée à environ cent kilomètres d'ici. Déjà, la population bolikienne, épouvantée, se range aux côtés des mouvements extrémistes qui viennent de reprendre en main l'armée régulière. Cet attentat est le prétexte rêvé, pour les Sulnites, d'en finir une fois pour toutes non seulement avec le gouvernement fantoche de Vikral, mais surtout avec les groupes extrémistes.

Désorientée par tous ces termes et réalités qui la dépassaient, Storine soupira. Elle que l'on prétendait si puissante, elle se sentait si faible, si démunie, si ignorante qu'elle souhaita n'être plus qu'une simple paysanne.

— Comment les empêcher de se massacrer les uns les autres? finit-elle par demander.

— Vikral a survécu, j'en suis certain, répondit Marsor. La meilleure solution, je crois, serait de te montrer. Ainsi, la vérité éclaterait. Moi, je me charge de retrouver le premier ministre.

Oui. Il avait raison. Vina lui soufflait le même plan à l'oreille. Le tout était de rassembler ses forces, de plonger dans l'arène une fois encore et de faire confiance à la déesse. «Même si elle ne m'a pas prévenue pour la bombe », songea Storine en mordillant nerveusement son petit grain de beauté.

Décidée à agir, elle redescendit dans la caverne.

En faisant le point sur le petit groupe d'hommes masqués qui, tapis à deux cents mètres de leur position derrière un entablement rocheux, les espionnaient à la jumelle, Marsor décida de ne pas révéler leur présence à Storine.

« Inutile de l'inquiéter davantage. Le mieux est de les laisser venir… »

Juché sur la plate-forme pivotante de son intercepteur d'assaut, Syrd Dollon croqua dans son goroumos et en mâcha lentement la pulpe. De son point d'observation, il embrassait l'immense plaine désertique et les trois bataillons d'appareils de guerre prêts à tailler en pièces la misérable armée dépenaillée et indisciplinée que le gouvernement fantoche de Gésélomen lui opposait depuis des années.

Ce dernier attentat, qui n'était pas le fait de ses propres services secrets, tombait décidément à pic. Sans doute le grand chancelier

Cyprian, qui jouait officiellement un rôle d'arbitre mais qui, en réalité, était très réceptif à ses propositions d'affaires, avait-il décidé de forcer la main du destin.

Il donna quelques ordres brefs à son chef d'état-major, puis il laissa son domestique essuyer les traces du jus de goroumos dégoulinant de sa barbe taillée en pointe.

Grand, osseux, les membres grêles mais souffrant pourtant d'un fort embonpoint, Syrd Dollon se piquait d'être un diplomate doublé d'un grand stratège militaire.

« El Nodour est mort, de même que l'Élue, lui avait annoncé quelques heures plus tôt un émissaire secret du grand chancelier. Agissez en conséquence. »

Ce qu'il s'était empressé de faire en faisant porter le chapeau de l'attentat aux factions extrémistes du gouvernement de cet incapable d'El Nodour.

« Être assez bête pour croire dur comme fer que l'Élue de Vina était autre chose qu'une créature manipulée par certains maîtres missionnaires d'Ésotéria ! Vraiment, ce pseudo premier ministre ne méritait pas de vivre. »

Il contempla ses fiers modules de guerre, ses transporteurs terriens blindés, dont les soutes regorgeaient de vaillants soldats. Il présenta ses mains potelées à son domestique ; celui-ci enleva chacune de ses bagues, lui rinça méticuleusement chaque doigt, puis lui remit ses bijoux.

Il avait rassemblé vingt mille soldats et plus de trois cent soixante machines de guerre. Jusqu'à présent, il n'avait jamais osé envahir officiellement cette partie du territoire de Tyrsis, de peur d'offusquer l'opinion publique impériale et, plus encore, l'impératrice et son petit-fils, ce prince Solarion qui prétendait se faire le défenseur de tous les peuples opprimés.

« Le petit rejeton a du pain sur la planche ! »

Mais à présent que la populace bolikienne était persuadée que les extrémistes avaient causé la mort de leur premier ministre et de cette Élue dont ils attendaient des miracles, la seule autorité réellement capable de prévenir une guerre civile bolikienne et de préserver la sécurité des biens et des personnes était l'armée sulnite.

« La populace ne nous considérera jamais comme des libérateurs, mais au début, pour le moins, ils feront semblant. D'ailleurs, comme toujours, nous ferons tous semblant. »

Fatigué d'être resté si longtemps debout, il descendit l'échelle de coupée et se mit à l'abri des rayons du soleil à l'intérieur de la timonerie blindée. À six kilomètres de ses positions se déployait la misérable armée bolikienne : cinquante appareils bringuebalants et environ dix mille hommes tremblant de peur dans leurs pantalons.

Puisque ses derniers appels à la soumission n'avaient pas trouvé d'échos favorables, il rota, puis il donna l'ordre de pilonner les positions ennemies. En vérité, tuer le déprimait. Moins d'hommes, moins de travailleurs, moins d'impôts. Mais ses espions lui avaient appris que beaucoup de ses policiers qui maintenaient déjà un semblant d'ordre dans la cité avaient été égorgés par la populace en colère. Cet imprévu supplémentaire ne lui laissait donc plus le choix. Afin de conserver, aux yeux de son propre peuple, sa réputation de grand protecteur, il n'avait d'autre solution que de punir sévèrement la population bolikienne.

« Et puis, dans une guerre, il y a toujours de jolis restes à ramasser. »

Quelques minutes plus tard, un premier pilonnage commençait. Dérangé par tout ce bruit et plus encore par les images de mort et de destruction que sa manœuvre suscitait en lui, il voulut descendre dans ses quartiers pour se reposer. Mais il ne pouvait guère penser à rejoindre sa maîtresse qui l'attendait, quand son état-major au grand complet exigeait qu'il fasse son devoir.

« Voici la tragique réalité de la vie d'un chef », se dit-il un peu tristement tandis que les premiers soldats, fauchés par les tirs de laser, tombaient comme des mouches.

Syrd Dollon était certes forcé de rester dans la timonerie, mais il pouvait boire autant qu'il voulait, et il ne s'en priva pas. Réfugié dans les vapeurs de l'alcool, il put sereinement rêver à l'après-guerre lorsque, officiellement reconnu par l'autorité suprême d'Ésotéria, il pourrait mettre en coupe réglée les richesses des Bolikiens. Il s'achèterait une luxueuse villa dans le quartier impérial situé près du grand palais de Luminéa, sur la planète mère ; il répudierait sa femme stérile et se constituerait un véritable harem.

Il rêvassait à d'autres voluptés quand le tumulte des combats sembla soudain s'apaiser. Avait-il déjà remporté la victoire ?

Il revint à la réalité et constata que ses officiers, parfaitement silencieux, ressemblaient à des statues de cire.

— Eh bien ! Que se passe-t-il ?

Il jeta un œil morne par-delà la baie vitrée. Étrangement, le ciel avait viré au mauve.

«Des nuages mauves! Ridicule!» se dit-il, perplexe.

Une gigantesque auréole mauve satinée semblait avoir recouvert le champ de bataille. De part et d'autre, plus aucun canon laser ne se faisait entendre.

— Quelle est cette trahison?

Puis, à l'instar de ses officiers, il resta bouche bée devant une scène pour le moins stupéfiante. Immobile en plein ciel, à une hauteur d'environ trente mètres, situé à mille pieds en avant de ses positions, il aperçut un grand lion blanc et, le chevauchant en brandissant au-dessus de sa tête un sabre jetant des éclairs, une jeune fille aux cheveux orange...

19

Le traité de paix

— Tirez-lui dessus.

L'ordre tomba à plat.

— J'ai dit : tirez-lui dessus, général !

L'officier, de même que les autres membres de l'état-major, le regardèrent comme s'il avait perdu l'esprit.

Ne comprenant pas leur attitude, Syrd Dollon se tourna vers son chef du protocole. Celui-ci transpirait à grosses gouttes.

— Monsieur le Président, la chose ne serait pas… appropriée. N'oubliez pas que les médias sulnites ainsi que de nombreux journalistes impériaux ont été invités par vos soins à suivre les combats. Dans un souci de transparence, bien sûr…

Il laissa le reste de sa phrase en suspens, car il espérait que son président allait finir par comprendre de lui-même. Comme les officiers pressaient maintenant leurs visages contre la vitre blindée, Dollon les écarta avec humeur et les imita.

— Mais… que font-ils ?

Il parlait de ses soldats qui jetaient leurs armes et se mettaient à genoux comme de vulgaires serviteurs. La plaine, à perte de vue, semblait pétrifiée de stupeur ; les canons lasers s'étaient tus, une vapeur jaunâtre s'échappait de leurs bouches. Dollon s'empara des jumelles d'un de ses officiers et inspecta le champ de bataille.

L'ennemi, lui aussi, réagissait bizarrement. Ces demi-portions de guerriers bolikiens restaient de marbre. Cette lumière mauve, fine et perlée d'étoiles coulait sur eux comme une poudre d'or. Il fit un gros plan sur le lion blanc et sur l'Élue.

— Mais… que fait-elle ?

Brandi au-dessus de sa tête, son sabre lançait des éclairs.

— Regardez ! Elle va atterrir…, s'extasia un général.

— Mais… mais…

Dollon ne put se résigner à avouer que cette fille lui gâchait sa belle guerre. Il eut bien l'idée de passer outre les conseils de son chef du protocole et d'appuyer lui-même sur le bouton de mise à feu qui contrôlait les canons lasers dont était équipé son engin, mais il n'osa pas.

Lorsque le grand lion blanc posa ses pattes sur le sol, il s'ébroua comme s'il était lui-même soulagé de ne plus flotter dans les airs ; ce qui n'était, somme toute, pas la position la plus naturelle pour un fauve.

Une prodigieuse clameur s'éleva. D'abord timidement, comme si les gorges étaient trop nouées pour libérer un pareil cri, puis, par écho naturel, cette clameur s'amplifia, résonna dans la plaine et se mélangea à la lueur mauve empoussiérée d'or qui leur tombait toujours sur les épaules.

Ulcéré par une telle attitude chez des soldats pourtant aguerris, Dollon descendit de son engin et se dirigea vers l'Élue comme un maître d'hôtel pressé de chasser de son établissement un visiteur indésirable. En marchant, il fut étonné de sentir décroître sa colère. Était-ce la lumière mauve qui le pénétrait et dans laquelle il avançait comme au travers d'un immense rayon de soleil ? Était-ce ce silence irréel après la fureur des canons et des hurlements de guerre ?

Après avoir salué la venue de l'Élue, les soldats se taisaient et l'observaient, immobiles, leurs armes posées à même le sol, pétrifiés par cette apparition surnaturelle.

Dollon se rappelait que l'Élue, à ce qu'il avait pu lire dans les médias, récitait une sorte de formule magique qui hypnotisait les foules. En arrivant devant le grand lion blanc, il avala péniblement sa salive. Puis il leva les yeux sur l'Élue et la vit pour la première fois réellement.

« Qu'elle est belle ! »

En une fraction de seconde, il fut ramené à son enfance, lorsque sa mère, qui devait mourir de maladie peu après, lui lisait dans le *Sakem* les épisodes relatant la venue de la Lionne blanche. Même si les écrits ne mentionnaient pas directement la planète Ébora, sa mère, qui avait été une sorte de médium, lui avait fait une étrange prédiction : « Elle viendra, mon enfant, et tu as été choisi pour l'accueillir. » Ressuscitant de leurs cendres, ces paroles retentirent dans son esprit comme un gong.

Sa mère, la seule femme qu'il ait jamais vraiment aimée, lui avait-elle vraiment prédit cela ? Oui, en cet instant où il se tenait dans l'ombre du grand lion blanc de la légende, il sut que oui.

Vidé de toute colère, imperméable à toute idée malfaisante, il regarda, hébété, les minuscules étoiles dorées qui voletaient autour de lui dans la lumière. Comme s'il possédait une consistance bien plus ferme que ce que l'on pouvait penser, ce gigantesque halo de lumière les isolait du reste du monde.

« Nous ne vivons plus dans le même univers. Nous planons dans le sein même de la déesse… »

Preuve qu'il ne rêvait pas, les grondements du tonnerre, tonitruant avant l'apparition de l'Élue, ne s'entendaient plus que de très, très loin.

« Tu l'accueilleras, mon fils, et ton destin sera glorieux. »

Jusqu'à ce jour, Syrd Dollon avait cru avoir accompli cette ancienne prédiction de sa mère. N'était-il pas devenu riche, célèbre et titré ? Il leva les yeux sur le visage de l'Élue qui le regardait fixement.

À cet instant, il comprit que tout ce qu'il avait accompli dans sa vie n'était rien ; rien d'autre que de la vanité, du vent, de la poussière.

« Je pense, je réfléchis, se dit-il, mieux et plus clairement que je ne l'ai jamais fait. »

De ses plans scabreux, de ses magouilles avec le grand chancelier Cyprian, il ne restait rien. Rien, car ils lui apparaissaient maintenant sous une lumière si pure qu'à la seule pensée d'avoir pu élaborer pareilles stratégies, il eut tellement honte que ses jambes tremblèrent sous lui et qu'il faillit, lui aussi, tomber à genoux.

« L'Élue est là, devant moi, et mon cœur est si lourd de pensées malfaisantes que je ne peux plus en supporter le poids. »

C'est sans doute à cela que ses soldats avaient succombé. Certains commençaient à se relever. Peut-être qu'ils se sentaient purifiés ? Peut-être avaient-ils moins à se reprocher que les autres ?

Une chose était certaine, cette fille de chair et de sang, tranquillement assise sur l'encolure de son lion blanc, n'était pas qu'une créature humaine.

— Cette guerre est une guerre de trop, lui dit-elle en descendant de son fauve.

Dollon vit les grands yeux rouges du lion posés sur lui comme un glaive de fin du monde.

— Cette guerre n'aura pas lieu, ajouta l'Élue.

Trop.

C'était trop de lumière en un aussi bref instant.

Redevenant l'enfant qu'il avait cru avoir tué en prenant le masque de l'adulte, le président sulnite tomba à genoux.

Quelques minutes plus tard, alors que, soulagé du fardeau de toutes leurs culpabilités, les milliers de soldats sulnites et bolikiens se relevaient, un petit scout'air avec deux hommes à son bord se posa devant l'Élue.

Le premier homme, qui portait un étrange collier de pierres autour du cou, était un parfait inconnu. Le second n'était autre que Vikral El Nodour.

Le soir même, à Brahorna, la capitale sulnite, dans la grande salle de cérémonie du palais présidentiel, le premier traité de paix depuis les mille six cent soixante-sept ans que durait le conflit fut signé. Tous les médias impériaux étaient présents pour célébrer l'événement.

De même que l'Élue, qui avait été invitée à cosigner ce document historique avec les deux chefs d'État.

Perdus dans la foule des invités, Marsor, les traits grimés par le morphocollier, et Éridess ne perdaient pas Storine des yeux un seul instant. Comme le jeune Phobien mordait ses grosses lèvres, l'ancien pirate posa une main sur son épaule.

— Ne t'inquiète pas, Éri, la déesse veille sur elle.

Le jeune homme lui envoya un regard à la fois triste et soupçonneux.

— Sur le champ de bataille et sous la tente où le traité a été signé, oui. Mais pas ce soir.

La lumière rousse et ocre des torches léchait les murs peints de fresques et les colonnes dorées de la grande salle. Ils s'attablèrent en compagnie des membres des deux gouvernements exceptionnellement réunis pour l'occasion. L'ambiance était à la fête, comme si chacun ressentait encore au fond de lui la grâce qui les avait touchés au cœur lorsque l'Élue était apparue dans le ciel.

— Elle est épuisée, je le sens, continua Éridess à mi-voix.

Assise à la grande table d'honneur, Storine semblait pourtant tenir le coup.

« Au moins, se dit Marsor, elle parle peu et se laisse photographier et filmer. »

Éridess, plus que Marsor, connaissait la véritable Storine ; celle qui, malgré ses grands airs, ses coups de colère et ses élans de passion, était une fille secrète et réservée en certaines circonstances.

« Lors d'un repas officiel, par exemple ! »

Ce qui, pour une fois, ne semblait pas se vérifier. Assise droite sur son siège, le visage rayonnant sous le feu des torches et portant fièrement sa couronne de lévitation, Storine semblait sereine. Elle était toujours vêtue de sa tunique bourgogne et de sa longue cape émeraude.

« Je suis sûr qu'elle a refusé qu'on l'habille d'or et de tissus précieux », se dit Éridess, qui conservait néanmoins sur le front de larges rides inquiètes.

De son côté, Marsor échangeait avec son ami El Nodour un clin d'œil complice. Les prophéties s'étaient accomplies ; les deux peuples, sans doute fatigués de se battre depuis si longtemps, succombaient à la paix avec plus d'enthousiasme qu'on ne l'aurait cru.

Le « coup de pouce » de l'Élue arrivait à point nommé. Et Syrd Dollon lui-même, dont Nodour lui avait vanté le narcissisme et la rouerie, paraissait d'excellente humeur.

« Béat. Il est béat d'admiration et de respect devant Storine. Comme tous les autres, d'ailleurs. »

Ayant lui-même déjà contemplé la déesse les yeux dans les yeux lors de la destruction du *Grand Centaure,* et tout en feignant de participer aux conversations, Marsor réfléchissait au pouvoir extraordinaire dont Storine avait fait preuve sur la plaine.

« La quatrième formule métamorphose son glortex en une puissance de vie qui sublime tout ce qu'elle touche. Cette force réveille en chaque individu ce qu'il possède de plus beau, même si cette beauté se trouve enfouie sous des tonnes de pensées négatives. La véritable magie est uniquement celle du cœur. »

Il se tourna vers Éridess pour obtenir son avis. Sur la scène, devant les tables, des artistes étaient invités à se produire. La lumière tremblotante des torches faisait briller les visages échauffés par l'alcool. Malgré cela, un restant de cette « magie » à laquelle il venait de songer devait encore planer entre les hautes colonnes, car aucune animosité ne régnait plus en ces lieux.

« Quel étrange jeune homme que cet Éridess ! songea Marsor. Complexe et complexé, mais dans le fond charmant et entièrement dévoué à Storine. Son visage tendu et ses yeux scrutateurs ne laissent aucun doute à ce sujet. »

— Qu'y a-t-il ? lui demanda Marsor.

— Si cette soirée s'éternise, je ne réponds de rien.

Qu'y avait-il d'aussi grave ? Éridess se pencha vers lui.

— Tout à l'heure, lorsqu'elle a paradé dans les rues de la capitale devant ces milliers de personnes en liesse…

La peur l'essoufflait comme un coureur de cent mètres.

— Griffo aussi était inquiet.

Marsor se rappela que le lion, qui n'avait eu aucune envie de parader davantage, avait demandé la permission à sa petite maîtresse de ne pas assister au repas, et elle l'avait renvoyé dans le désert. L'absence de Griffo était d'ailleurs la seule note morose de la soirée, les photographes ayant tant souhaité prendre de lui encore quelques milliers de clichés holographiques !

— Je la sens au bord de l'épuisement. Après chacun de ses « miracles », c'est la même chose.

Sans mettre la parole d'Éridess en doute – il la suivait depuis tant d'années –, Marsor se promit de redoubler d'attention. Quand arriva la fin de cette interminable soirée, il refusa pour sa fille l'hospitalité généreusement offerte par Syrd Dollon, toujours aussi subjugué par « l'Élue », ainsi que celle proposée par Vikral El Nodour.

« Éri a raison. Elle a les traits tirés et elle a les yeux rouges de fatigue. »

Espérant qu'elle ne s'évanouirait pas devant tout le monde, il la tint solidement par le bras. Il sentit toute sa faiblesse lorsqu'elle se laissa aller contre son épaule.

« Elle est à bout. »

L'Élue prononça encore quelques paroles, accepta de tracer le signe de la Ténédrah pour bénir les membres des deux gouvernements qui allaient devoir, dans les semaines à venir, mettre en branle le long et fragile processus de paix. Emporté par son nouvel enthousiasme, Syrd Dollon offrit avec grâce une de ses navettes afin que l'Élue puisse regagner, saine et sauve, son camp dans le désert, endroit que lui avait désigné la déesse pour se ressourcer.

« C'est l'excuse que je lui ai soufflée à l'oreille pour éviter un incident diplomatique, et je suis bien content qu'elle ait trouvé la force de le leur dire. »

Dollon, ainsi que les autres officiels, et plus encore les membres de la presse interspatiale, s'étaient bien demandé qui étaient ce colosse mystérieux et ce jeune homme qui accompagnaient l'Élue, mais personne n'osa leur poser de questions. Bientôt devait circuler sur les ondes interspatiales la rumeur selon laquelle l'Élue, fidèle en cela aux prophéties, était bel et bien accompagnée par un Guérisseur et par un Brave. Mais où donc était le Sage également cité dans les Écrits sacrés ?

L'échange de politesses terminé, Marsor entraîna Storine et Éridess dans une enfilade de corridors éclairés, de loin en loin, par quelques torches électriques. L'enfant dépêché par Syrd Dollon pour leur servir de guide osait à peine lever les yeux sur la Toute-puissante Envoyée de Vina. Pour sa part, appuyée contre le bras de l'ancien pirate, Storine traînait de la jambe.

Soudain, comme les couloirs se faisaient vraiment très longs et de plus en plus sombres, l'instinct de Marsor sonna l'alarme.

— Est-ce bien le chemin pour gagner le débarcadère du palais ? interrogea-t-il.

L'enfant, qui devait avoir huit ou neuf ans, se retourna, l'air embêté.

— Le chemin habituel est bloqué.

Marsor se rappela que l'enfant avait tenté de pousser plusieurs portes qui étaient demeurées fermées.

— Que se passe-t-il ? s'enquit Éridess, pas rassuré du tout, car après la chaleur poisseuse de la grande salle une fraîcheur humide tombait sur leurs épaules.

— Occupe-toi de Sto !

Le Phobien la prit par le bras et remarqua qu'elle avait du mal à garder les yeux ouverts.

Sentant un danger se profiler autour d'eux, l'ancien pirate dégaina le sabre psychique de Storine qu'il était le seul, avec elle, à pouvoir activer.

— On nous attaque ! s'écria-t-il soudain en transperçant le premier des trois gardes noirs qui venaient de surgir de trois issues latérales.

Tentant une feinte que le pirate bloqua sans peine, le deuxième assaillant tomba à la

340

renverse, non pas d'étonnement mais parce que sa tête venait de rouler au sol. Impressionné par la fureur et la brièveté du combat, le troisième soldat, plus jeune que ses deux camarades, laissa tomber son sabre en duralium et leva les bras en signe de soumission. Marsor le fouilla puis l'assomma d'un coup précis sur la nuque.

— Emmenons-le avec nous, je l'interrogerai plus tard.

Storine n'avait pas cessé de trembler depuis le début du combat. L'enfant, quant à lui, s'était recroquevillé contre le mur. Il ne comprenait pas pourquoi l'Élue n'avait pas foudroyé les méchants d'un seul regard, mais il était trop terrorisé pour poser des questions.

Marsor et le jeune Phobien échangèrent un regard.

— Sto a besoin que tu la régénères. Regagnons le désert, déclara le pirate.

Puis il s'agenouilla devant l'enfant :

— Petit, tu diras au président Dollon que, vu les circonstances, nous ne pouvons pas accepter sa navette.

Le garçon hocha la tête sans vraiment comprendre.

Il n'était pas question, en effet, de risquer d'embarquer à bord d'un appareil qui pourrait avoir été piégé.

Qui avait prémédité le coup ? Dollon était-il impliqué ? Cette tentative désespérée avait-elle pour but de faire abroger le traité de paix ? Il était encore trop tôt pour tirer des conclusions à propos de cet attentat maladroit.

« Demain, nous y verrons sûrement plus clair… »

20

Le bain

Le prisonnier n'en finissait pas de fris-
sonner. Il n'était pourtant pas enfermé dans
un endroit trop froid, il n'était ni malade ni
molesté. Il était simplement terrorisé à la
pensée que le grand lion blanc qui se trouvait dans la même chambre souterraine que
lui songe à le réduire en bouillie.

La veille au soir, ils avaient regagné le
désert et les collines noires qui frangeaient
les longues dunes mouvantes. Pour ce faire,
Marsor avait utilisé l'appareil des trois assas-
sins. Le soldat survivant apercevait enfin cette
jeune fille qui semblait faire si peur à ses
supérieurs. Pendant le trajet, elle avait som-
meillé sur l'épaule du jeune homme au teint
vert. Les yeux mi-clos, elle gémissait de temps
en temps, tandis que le colosse qui avait tué

ses deux compagnons était aux commandes de la mini-navette d'intervention.

On lui avait dit que l'Élue s'appelait Storine. «Un drôle de prénom, pas commun et somme toute assez mignon», se dit-il en évitant de soutenir le regard rouge et brûlant du fauve.

Lorsque le colosse l'avait interrogé, il n'avait pu ni se taire ni lui mentir. L'autorité naturelle de cet homme semblait sans limites. Il lui avait donc révélé ce qu'il savait – pas grand-chose, en fait –, que ses ordres venaient directement du chef de sa phalange et que, à sa connaissance, le président sulnite, Syrd Dollon, n'était au courant de rien.

Le soldat, un tout jeune homme, n'avait obtenu de participer à cette mission que grâce à l'intervention de son parrain d'armes : un de ceux que le colosse avait tués dans le corridor du palais.

Tout bien considéré, l'Élue ressemblait à une fille ordinaire. Une jolie fille à qui on prêtait une romance avec le prince impérial. Il n'avait pas très bien compris pourquoi elle devait mourir. Le garçon au teint vert la tenait étroitement serrée contre lui et lui caressait les cheveux avec tendresse. Qui était-il pour elle ? «C'est drôle comme, juste avant de

mourir, on se pose des questions bizarres»,
songea-t-il alors que, depuis plus d'une heure,
le lion avait fait irruption dans cette grande
cage de roc à l'intérieur de laquelle le colosse
lui avait ordonné :

— Tu restes là et tu ne bouges pas.

Ce qu'il avait fait, cloué sur place autant
par la voix de l'homme que par le souvenir
de l'Élue ; ses longs cheveux orange tirant sur
le rouge, son front haut et droit, son petit nez
retroussé, son visage bien dessiné et sa bouche
en cœur, avec cet adorable petit grain de
beauté qu'elle portait sur la lèvre inférieure.
Lui qui n'avait jamais connu l'amour, il se
dit qu'il aurait facilement pu tomber amoureux de cette Storine, et, qu'alors, ce serait
lui et non pas le garçon au teint vert qui l'aurait tenue dans ses bras, caressée et protégée
comme si elle était la plus belle chose au
monde.

Le grondement du lion, ténu et glacial,
emplit la tête et le corps du jeune soldat.

«C'est le lion de la légende, l'ami de l'Élue.
Il sait que j'ai failli tuer sa maîtresse. Il va se
jeter sur moi et m'égorger.»

S'il en avait eu le courage, il se serait mis
à pleurer. Mais l'entraînement militaire
des membres de la phalange noire était si

astreignant et si brutal qu'il parvenait à vous durcir le cœur.

« Mais pas moi. Pas moi ! »

Soudain, alors qu'il se croyait perdu, le colosse vint le trouver. Il dit au lion de s'écarter, et le fauve obéit. Puis il se baissa et trancha ses liens. Les yeux de l'homme étaient fixes, sa mâchoire crispée. Le jeune soldat déglutit.

— Lève-toi et pars. Tu es libre.

N'en croyant pas ses oreilles, le jeune soldat se remit péniblement sur ses jambes. Marsor le prit par le col de son uniforme de cuir noir et le poussa sans ménagement hors de la chambre souterraine. Ils marchèrent dans une sorte de goulot humide semé de cailloux et de racines noueuses. Un court instant, il entrevit dans une autre salle souterraine une silhouette endormie dans un sac de couchage. En apercevant l'éclat mordoré d'une chevelure orange, il ouvrit la bouche, mais ne put dire un mot.

Marsor déclara lentement :

— Après t'avoir interrogé, moi, je t'aurais livré au lion. Mais pas elle. Retourne auprès des tiens et dis-leur que l'Élue ne les craint pas.

Il détruisit la console des armes dans la cabine de pilotage et s'assura qu'il n'y avait aucun fusil d'assaut à bord de la mini-navette. Puis Marsor relâcha le jeune homme.

— Pars avec ton engin et souviens-toi bien de mes paroles.

Le soldat fit oui de la tête.

En regardant l'appareil prendre son envol, l'ancien pirate eut un demi-sourire. Ce jeune godelureau n'oublierait jamais la générosité de la Lionne blanche qui, malgré son épuisement, avait tenu à l'épargner.

Lui non plus, d'ailleurs.

Dès qu'elle émergea de son long sommeil réparateur, Storine insista pour qu'on installe le camp à la surface, même s'ils s'exposaient ainsi au danger. Marsor grogna un peu mais Éridess comprit que son amie, traumatisée par leur séjour à l'intérieur du météorite Étanos, ne voulait plus entendre parler d'endroits clos ni de ténèbres humides. Elle redescendit pourtant peu après au cœur des grottes sombres, sans un mot, comme si elle n'existait plus seulement dans le monde des vivants, mais qu'elle marchait aussi dans celui des dieux.

Ne sachant pas combien de temps Storine voudrait rester sur la planète Ébora, Marsor s'était mis au travail.

— Éri, donne-moi un coup de main, veux-tu ?

S'il le voulait ? Honoré de vivre aux côtés de ce célèbre pirate que ses hommes appelaient autrefois respectueusement « l'Amiral », le jeune Phobien n'attendait que ça. Après avoir transféré à Storine une bonne partie de sa propre énergie vitale, lui aussi avait eu besoin de repos, et Marsor avait dû veiller non pas sur un dormeur mais sur deux ! Griffo s'était rapidement taillé une mauvaise réputation parmi les clans de cochons sauvages qui migraient à travers le désert en cette saison d'orages, et il rapportait chaque matin un généreux quota de viande fraîche.

« On pourrait croire qu'on est arrivés sur cette planète il y a des semaines », se dit Éridess en revenant du marché de Gésélomen avec des fruits et des légumes frais.

La ville n'étant située qu'à une centaine de kilomètres de leur camp, le jeune homme s'y rendait en empruntant le scout'air qui avait transporté Storine et son père, le soir de l'explosion du palais ministériel.

Les gadgets électroniques que Marsor transportait dans ses bagages avaient vivement intéressé le Phobien. Surtout celui que le pirate appelait la mol-technologie.

— En clair, cela signifie «technologie moléculaire», lui expliqua-t-il. Regarde.

Il sortit d'une petite sacoche accrochée à sa ceinture un objet miniature. Puis, le plaçant sur son pouce, il le lui tendit.

— Ça ressemble à un minuscule bout de tissu.

— Regarde mieux.

Comme Éridess ne voyait toujours pas, Marsor sortit de sa sacoche une sorte de tube translucide rétractable.

— C'est un stylo?

— Non. Un transformateur moléculaire. Recule-toi un peu.

Il laissa tomber au sol le minuscule bout de tissu et tira dessus à coup de «stylo moléculaire machin», comme l'appela d'emblée Éridess.

— Tirer dessus est l'expression exacte, mon garçon!

Devant ses yeux ahuris, Éridess vit le bout de tissu grossir, grossir, grossir, jusqu'à devenir…

— Une couverture de laine ! s'exclama-t-il, ébloui. Et vous avez d'autres trucs dans le même genre ?

Marsor engloba d'un même geste les deux tentes et tout le matériel de première nécessité qu'elles contenaient et dont le jeune Phobien n'avait pas cessé de se demander d'où tout cela pouvait bien provenir.

À ce moment, ils virent Storine sortir de sa tente et se diriger, une serviette sur l'épaule, en direction de l'entablement rocheux qui recouvrait le puits donnant accès au réseau de cavernes.

— Je la trouve bizarre depuis l'explosion, laissa tomber Éridess à voix basse.

— Ce n'est pas tous les jours qu'on a la chance ou la malchance de devenir une icône vivante pour des milliards de gens ! répondit Marsor en découpant la carcasse d'un cochon noir que Griffo avait rapporté à l'aube.

Il n'en dit pas davantage, car il ne voulait pas inquiéter Éridess qui était un jeune homme au tempérament assez inquiet comme ça. Lorsque le Phobien prit le parti de suivre

Storine, Mansor se concentra sur sa carcasse de cochon.

Inutile de leur dire que ceux qui les espionnaient sans répit depuis leur arrivée dans le désert, étaient de nouveau en faction.

«Griffo aussi a senti leur présence. Et, comme moi, il préfère ne rien dire, pour l'instant, et attendre…»

Storine avait repéré une petite salle haute de plafond et semée d'impressionnantes stalagmites blanches comme des statues d'albâtre. À ses pieds, plusieurs bassins de roche polie par les millénaires bouillonnaient des eaux cascadantes qui tombaient d'une anfractuosité située à une quinzaine de mètres au-dessus de sa tête. La jeune fille s'accroupit au bord des bassins et laissa pendre sa main pendant un moment. L'eau était tiède et pure, de légers embruns répandaient au niveau du sol de fragiles nuages de vapeur. Elle se déshabilla complètement et se plongea avec délice dans une de ces cuves naturelles.

Tout contact avec la nature étant pour elle une occasion de faire le point sur sa vie, elle plongea la tête sous l'eau et frotta son épaisse tignasse orangée. Lorsqu'elle entendit résonner un bruit de pas dans le couloir obscur menant à sa providentielle salle de bains, elle ne s'en fit pas outre mesure.

— Tu es contrarié, n'est-ce pas ? demanda-t-elle.

Les yeux fixant les parois rocheuses plutôt que la vasque de pierre dans laquelle se baignait son amie, Éridess s'adossa contre une stalagmite.

— Tu t'inquiètes pour moi, ajouta-t-elle.

— Ça t'amuse, ce rôle d'Élue ? Je te vois aller, tu sais ! Cela te prend chaque fois un peu plus d'énergie et un peu plus de temps pour te remettre.

— Les dieux existent vraiment, Éri. J'ai choisi mon destin et je l'assume.

« Pour une fois, se dit le jeune homme, nous ne nous disputons pas en nous parlant. Ça aussi, c'est nouveau. »

Storine avait beaucoup changé depuis leur séjour sur la station *Critone*. Il aurait pu dresser une liste exhaustive de ces changements plus ou moins importants dans sa manière d'être et de penser, mais cela se résumait en un seul mot : maturité.

Avait-elle vieilli ?

— Je n'ai jamais autant senti la solitude et le manque d'amour que lorsque je suis arrivée sur l'atoll d'Argonir, déclara-t-elle en se savonnant le haut du corps.

Sa séparation d'avec Solarion, il le savait, lui mettait encore le cœur à vif. Mais elle n'en parlait jamais et ce n'était pas davantage à cela qu'elle faisait allusion aujourd'hui.

— Un père, une mère. Tu devrais comprendre ça, toi !

Parce qu'il avait perdu son père et qu'il avait très peu connu sa propre mère : une esclave aimée par Caltéis qui, par dégoût pour la profession de son amant, s'était jetée du haut des remparts du château de lave peu après la naissance de leur fils. Éridess n'avait confié l'histoire tragique de ses origines à son amie qu'une seule fois et du bout des lèvres. Il fut secrètement heureux qu'elle n'ait pas oublié.

« Le pire, c'est qu'elle a raison. Je la comprends parfaitement. »

— Tu parles de Marsor et de ta vraie mère, n'est-ce pas ?

Elle inspira profondément.

— Ma vraie mère était sans doute une des amantes de mon père. Qu'est-elle devenue ? J'ai depuis longtemps accepté l'idée que je ne la rencontrerai probablement jamais. Non, je te parle de la déesse. Tu ignores ce que je ressens quand elle vient en moi, Éri. C'est formidable. Je ne suis plus seule, je suis forte et lumineuse et, dans ces moments-là, beaucoup plus intelligente, aussi. Je dis des choses qui me surprennent moi-même. Je perçois avec une intensité inimaginable la force de l'amour de la déesse qui passe à travers moi et se déverse sur les gens. Je n'ai plus de limites. C'est…

Éridess, qui avait longtemps cru que ces entités mystérieuses appelées « dieux » ou « immortels » n'étaient que des inventions de l'esprit humain, ne pouvait plus, aujourd'hui, douter de leur existence.

— Mais cela t'épuise, la coupa-t-il. Toutes ces missions te minent. Elles te volent ton énergie vitale.

Tant de sollicitude dans sa voix !

« Il m'aime. Il m'aime réellement. Comme un véritable ami ou un frère », se dit Storine en s'aspergeant la gorge d'eau tiède.

— Ne crois pas cela. La déesse est de mon côté. Elle me nourrit aussi beaucoup.

— Je pense plutôt qu'elle a besoin de toi *pour l'instant*. Qu'elle se sert de toi.

Meublant le silence de sa pureté cristalline, l'eau cascadait à grand renfort d'embruns et d'éclaboussures sur la roche polie.

— Tu as peut-être raison, mais le but est noble, répondit-elle après quelques minutes de réflexion.

Connaissait-elle vraiment les plans de la déesse ? Pensait-elle qu'à terme, elle pouvait y laisser sa peau ?

— J'ai appris une chose, Éri.

— Qu'il ne faut jamais désespérer. Je sais, tu me l'as déjà dit cent fois.

— J'ai aussi appris que mourir, toi qui as si peur de cela, ce n'est pas disparaître.

— Allons bon !

Comme cette discussion menaçait de s'enliser et que son bain ne l'amusait plus du tout, elle préféra y mettre un terme.

— Retourne-toi, je sors !

— Je suis déjà retourné.

« Et bouleversé, aussi ! »

Elle se couvrit les épaules de sa longue serviette ; un accessoire de toilette très pratique sorti, lui aussi, de la mol-technologie et de la petite sacoche de Marsor le pirate.

Il sentit qu'elle posait sa main sur son nouveau bras.

— Ne t'en fais pas pour moi, Éri, je ne vais pas mourir. Les dieux ont encore besoin de moi. Et les hommes aussi !

Il la laissa avancer toute seule dans le couloir souterrain. Au bout d'une minute, comme elle ne l'entendait pas marcher derrière elle, elle s'arrêta. Éridess lui cria alors, et sa voix se répercuta en échos sous toutes les voûtes :

— C'est justement ce qui me fait peur !

Lorsqu'elle eut regagné la surface, Marsor lui apporta ses vêtements. Il avait l'air songeur.

« Ou bien il est contrarié. Triste, même. »

Elle se remémora une scène furtive et troublante à laquelle elle avait assisté, dans les premiers temps de leur installation dans le désert.

« Il se tenait debout, dans une des salles souterraines de la caverne, et il dialoguait avec… » Elle se rappela la silhouette blanche, diaphane, traversée d'éclairs bleus et roses. Une jeune femme, ou plutôt, son image holographique extraite d'un mémorisateur de poche en forme de médaillon posé à même la roche. Les lèvres de la femme remuaient, mais Marsor était le seul à entendre les paroles, avec son cœur.

Storine s'habilla en silence en songeant que cette femme, sans doute un amour de jeunesse de son père, elle l'avait déjà vue, une fois, sous forme d'hologramme, lorsqu'ils vivaient tous deux à bord du *Grand Centaure*. « Son bel amour secret. À chacun ses secrets. Il faut savoir respecter ça », décida-t-elle en voyant soudain s'approcher de leur campement une demi-douzaine de silhouettes qui s'appuyaient sur de longs bâtons.

Griffo jaillit comme un diable de l'entablement rocheux sous lequel il faisait la sieste.

— Qui sont-ils ? demanda Storine en rajustant son pantalon.

— Une tripotée de maîtres missionnaires juste pour toi, Sto ! Calme Griffo. Ils nous espionnent depuis plusieurs jours, mais je ne crois pas qu'ils soient dangereux.

Il venait à l'instant de retrouver toute sa force, son dynamisme. Elle lui jeta un regard aigu.

Cette visite ne la surprenait qu'à moitié, car, la nuit même, la déesse lui avait envoyé un rêve : le temps était enfin venu pour elle d'entendre la vérité.

Marsor la soutint pendant qu'elle se chaussait et qu'elle époussetait sa tunique et sa cape imprégnées de sable gris. Sur un geste de sa part, Griffo cessa de grogner. Quelles étaient les intentions de ces prêtres fourbes aux traits cachés derrière leurs masques de lin?

— Enfin, ils viennent à moi, déclara-t-elle, le regard froid, en souriant à demi.

Finalement, même si la présence de la déesse illuminait son âme et tempérait ses rages et ses rancœurs passées, Storine restait toujours Storine…

21

Les prophètes de Vina

À le voir si grand et si fort à ses côtés, Storine comprit à quel point la présence de son père lui avait manqué. Alors que les sept maîtres missionnaires avançaient sur le sable et la pierraille comme des spectres irréels sur un sol immaculé, elle contemplait Marsor le pirate, impressionnant dans son pourpoint jaune foncé ourlé d'or et son long manteau sombre. Comme il portait autour du cou le morphocollier que lui avait offert Éridess, son visage était méconnaissable.

— En perdant mes compagnons, mon vaisseau et ma flotte, j'ai compris quelle devait être ma route, lui avait-il dit le soir de leurs retrouvailles.

Il avait pris ses mains, les avait serrées.

— Storine, c'est auprès de toi que je veux être. J'ignore combien de temps il me reste, mais plus rien ne compte désormais pour moi que ton bonheur.

Trop heureuse de l'avoir enfin retrouvé, elle s'était peut-être inventé cette dernière phrase. Mais ne coulait-elle pas de source? N'était-ce pas ce rêve, qu'elle avait longtemps caressé dans le secret de son cœur, qui se réalisait enfin?

Les bras croisés sur sa poitrine, Éridess riait sous cape en voyant ces sept importants personnages de l'empire s'approcher d'eux comme sept pingouins de parade. Griffo grondait sourdement et faisait de larges cercles menaçants autour d'eux. De son côté, Marsor avait reculé de deux pas pour laisser à Storine ce qu'il appelait «son espace psychologique». Son mnénotron sur les yeux, Éridess inspectait les environs, au cas où la venue des missionnaires cacherait un piège.

Lorsqu'ils arrivèrent devant elle, sans doute essoufflés et transpirant à grosses gouttes sous leurs cagoules et leurs longues toges plissées, Storine eut chaud pour eux. Dans le ciel toujours bas en cette saison, de lourds nuages gris semblables à d'immenses rouleaux compresseurs menaçaient de crever. Les orages sans pluie qui accompagnaient chacune de leurs journées avaient beau lancer dans le ciel leurs éclairs et leurs grondements sourds, il régnait au niveau du sol une langueur insidieuse, un calme oppressant d'avant la tempête. Les maîtres se présentèrent de face, sauf un, le septième, qui se tint en retrait par rapport à ses compagnons. Ce détail agaça Storine sans qu'elle sache vraiment pourquoi.

Tour à tour, elle les jaugea. De tailles et de corpulences différentes, c'était la première fois qu'elle en voyait autant en même temps. Sur leurs poitrines scintillaient leurs symboles personnels, tous plus ou moins inspirés de la Ténédrah – la fameuse pyramide à l'intérieur d'un cercle troué par l'œil cyclopéen du dieu Vinor. Son rythme cardiaque s'accéléra quand elle reconnut le blason de Korban-Lor, ce maître missionnaire qu'elle avait rencontré sur la station *Critone*. Devinant qu'elle venait de le reconnaître, l'homme s'avança, traça dans l'air le signe de la Ténédrah, et courba la tête pour la saluer. En faisant de même, Storine comprit que Korban-Lor serait sans doute son premier interlocuteur. Elle réalisa aussi qu'elle aurait souhaité que ce fût plutôt maître Santus.

— Nous venons de la part de la déesse, commença Korban-Lor, hésitant et impressionné, malgré lui, par l'énergie et la vitalité qui émanaient de la jeune fille.

Elle leva une main devant son visage pour lui couper la parole :

— Je connais les volontés de la déesse.

Aucun d'entre eux ne semblait vraiment à son aise. Un petit rire s'éleva dans le rang de toges.

— Dans ce cas, lui dit celui qui se cachait derrière ses confrères, tu sais que le moment est venu pour toi de nous écouter et de nous suivre.

Cette déclaration fracassante lui fouetta le sang.

— La déesse ne m'a parlé que de vérité.

La lumière du jour, blafarde mais piquante, l'empêchait de bien fixer son interlocuteur, toujours caché au milieu des autres maîtres.

— La vérité a mille visages, répondit celui-ci.

Le timbre de cette voix ne lui était pas inconnu. Sentant ses jambes se dérober sous elle malgré son irritation, elle invectiva l'honorable maître missionnaire :

— Celui qui parle de vérité doit avoir le courage d'en parler à visage découvert ou alors se taire à jamais.

Cette repartie de l'Élue sema le trouble parmi les hommes masqués. Alors qu'elle n'y pensait pas quelques instants plus tôt, la prétention de ces gens qui entendaient la plier à leur volonté fit monter sa colère d'un cran. Même Marsor, qui connaissait parfaitement le pouvoir politique et spirituel d'un seul de ces « cagoulés », comme les appelait Storine, fut stupéfait par l'aplomb et par le sang-froid de sa fille adoptive. Elle était loin, désormais, la fillette tremblante qui s'était glissée à bord du *Grand Centaure*. Éridess se tordait le cou comme une jondrille pour apercevoir le blason de ce maître trop prétentieux pour demeurer discret.

— Le miracle que tu dois accomplir sur Ésotéria sera le plus grand de tous, reprit le maître caché. Il ressemblera à celui que tu viens d'accomplir ici, sur Ébora, mais en mille fois plus retentissant.

Soudain, Marsor adressa un petit signe de la main à Storine. Pas fâchée de faire attendre ces « Altesses religieuses », elle se tourna vers lui. Le visage d'emprunt du pirate était de marbre.

— Sto, nos amis ne sont pas venus seuls. Quatre appareils de guerre se dirigent droit sur nous.

Les maîtres, qui avaient entendu, sursautèrent. Korban-Lor déclara :

— Quels que soient ces appareils, ils ne font pas partie de notre escorte. Nous sommes venus à vous seuls et sans armes.

Le maître « timide », dissimulé derrière ses compagnons, dévisagea l'ancien pirate. Celui-ci adressa un autre signe à Éridess.

— Aide-moi, veux-tu ? (Il se pencha vers Storine.) Nous allons installer des déflecteurs énergétiques, lui souffla-t-il. Ça les retiendra pendant quelque temps.

Entièrement concentrée sur sa conversation avec les maîtres missionnaires, Storine haussa les épaules. Son père savait ce qu'il avait à faire.

— Si vous voulez me convaincre de la valeur de vos paroles, leur dit-elle, je ne veux plus de demi-vérité. Je veux LA vérité. Toute la vérité. À commencer par vos visages. Je refuse désormais de parler avec des gens qui se voilent la face.

Le petit ricanement retentit de nouveau. Cette fois, Storine le reconnut. Maître Santus sortit enfin des rangs.

— Te voilà bien dure avec moi, Sto !

Sa première impulsion fut de se jeter dans les bras de celui qui, pendant plusieurs années, avait été son mentor et son protecteur. Mais résistant à cette envie de petite fille, elle rétorqua avec la même assurance dans la voix :

— Je ne suis plus celle que vous avez connue sur la planète Yrex, ni celle qui étudiait au collège de Hauzarex.

Ce qui, en clair, signifiait qu'elle en avait assez d'être menée par le bout du nez ; qu'elle était fatiguée de ses longs discours creux sur la destinée et sur les vertus de l'attente.

— Depuis que je vous ai rencontré, dans le temple du désert d'Yrex, vous avez attisé ma curiosité sans jamais l'épancher.

— En vérité, Sto, lui répondit maître Santus, nous nous connaissons depuis plus longtemps que cela, toi et moi.

Encore des mystères ?

Elle serra les dents.

Dans le ciel, ils virent apparaître quatre silhouettes effilées. En reconnaissant des chasseurs d'interception appartenant aux phalanges noires du grand chancelier Védros Cyprian, Santus s'impatienta :

— Le fait que nous soyons venus te voir en personne prouve notre bonne foi. Il est très dangereux pour nous tous de rester ici plus longtemps.

Sa voix chevrotait légèrement. Storine ne fut pas mécontente de sentir enfin sa crainte. Aux quatre coins de leur campement, Marsor et Éridess installaient des sortes d'antennes paraboliques reliées entre elles ainsi qu'à un générateur d'énergie.

— Pour moi, ça ne prouve rien du tout, rétorqua-t-elle. Plus d'énigmes, je veux la vérité.

Les chasseurs effectuèrent un premier passage au-dessus de leurs têtes, puis un second. L'échine tendue vers le ciel, Griffo poussa plusieurs rugissements de colère.

— Nous sommes les Prophètes de Vina, reprit Korban-Lor. Nous nous sommes séparés de nos autres compagnons, car nous pensons qu'ils font fausse route en soutenant le grand chancelier au détriment du parti de l'impératrice. Notre présence ici est un aveu de notre rébellion.

« En termes clairs, se dit Storine, ils sont morts de peur. »

Elle aurait voulu en rire, mais elle ne le pouvait pas.

— Je vous le dis une dernière fois : montrez vos visages ou partez d'ici !

Un éclair, puis un deuxième, jaillirent au-dessus de leurs têtes. Peu à peu, les antennes tissèrent autour du camp une sorte de membrane énergétique couleur d'ambre qui les recouvrit comme une étoffe de soie. Le ciel perdit de sa couleur, l'air grésilla, la lumière du champ de protection jeta des taches de rouille sur le visage de Storine.

Sentant qu'elle ne céderait pas, maître Santus fit un signe à ses compagnons. Deux d'entre eux levèrent la tête en direction des chasseurs qui piquaient de nouveau sur le camp.

— Ce que tu exiges est une insulte à nos titres. Si nous sommes reconnus par nos ennemis, nos vies seront en danger.

Storine ravala les paroles cinglantes que lui inspirait sa propre humiliation d'avoir été, et depuis si longtemps, manipulée par maître Santus.

Elle fronça les sourcils et croisa ses bras sur sa poitrine.

— Mais dans les circonstances…, ajouta le maître.

Le premier d'entre eux releva sa cagoule, puis, lentement, comme si le geste lui coûtait, il retira son masque de lin noir liseré d'or.

« Un vieillard aux yeux glauques et au triple menton tressautant sur sa gorge, se dit Storine. Finalement, ces missionnaires ont vraiment une tête comme tout le monde ! »

Elle échangea un coup d'œil avec Éridess, car ils pensaient autrefois (c'était même une de leurs blagues) que ces gens-là n'avaient qu'un trou à la place du visage.

Le vrombissement des premières roquettes lancées sur le camp provoqua des cris de stupeur. Ainsi, Védros Cyprian osait ordonner aux soldats de sa garde personnelle d'ouvrir le feu sur des maîtres missionnaires !

— N'ayez crainte, leur dit Marsor, nous sommes à l'abri.

Il trouva inutile de préciser que cette protection ne durerait pas plus d'une quinzaine de minutes.

Un à un, les maîtres missionnaires découvraient à présent leurs visages en grimaçant comme des enfants pris en défaut. La peau de certains d'entre eux était si blanche qu'elle en devenait presque translucide. « Une peau parsemée de veines bleuâtres. » Mais Storine s'en moquait. Elle guettait son ancien mentor. Marsor, qui avait appris l'identité de Santus sur la planète Delax, retint aussi son souffle. Une troisième roquette s'abîma entre les tentes et souleva, à l'extérieur du champ énergétique, des tonnes de sable et de pierraille.

Il ne restait plus, à présent, que maître Santus. Tous ces hommes sans cagoules et en toges plissées lui apparaissaient étrangement vulnérables.

«Comme s'ils étaient tout nus.»

— Il y a un grand ménage à faire, sur Ésotéria, Sto. Une paix fragile à arracher à différentes factions d'ambitieux et de courtisans malhonnêtes. Toi seule peux y parvenir et sauver le trône!

Tout en parlant, il rabattait cette éternelle capuche qui, au fil des années, l'avait tant agacée. Aujourd'hui, elle se trouvait enfin en position de force. Elle n'était plus la petite fille sans défense qui errait de planète en planète en se demandant qui elle était. «Je suis la fille de Marsor, je suis la fille de la déesse Vina.» Ces deux affirmations lui redonnèrent du courage.

— L'empire est en grand danger, poursuivit maître Santus. C'est un géant aux pieds d'argile. (Sa voix venait-elle de changer?)

Le pouvoir suprême est faible. Ceux qui le convoitent sont forts, nombreux et bien organisés. Védros Cyprian est leur chef. Solarion a grand besoin de toi, Sto !

En colère, elle voulut lui dire de ne pas évoquer Solarion. Solarion l'avait trahie, blessée, humiliée. Elle ne voulait plus jamais entendre parler de lui.

Au même moment, elle sut qu'elle se mentait, car chaque jour elle pensait à lui. Puis, quand elle releva la tête, elle put enfin contempler le visage à nu de maître Santus.

Une bombe plus puissante que les autres fit vibrer le dôme énergétique. Par endroits, Marsor le vit pâlir puis se perforer.

Storine eut besoin de quelques secondes avant de reconnaître le visage piqué de taches de rousseur, les yeux si bleus, la tignasse rousse, les traits à la fois jeunes, sages et arrogants de...

— Santorin ?

Il avança vers elle, lui prit les mains.

— Santorin ! répéta-t-elle, hébétée.

— Je m'appelle en réalité Thoranus de Hauzarex et tu es, toi, la Pure, choisie par les dieux dès ta venue au monde et promise au prince Solarion quand tu n'avais que deux ans...

Cette voix à la fois inconnue et pourtant familière !

— Santorin…

Sans cesser de le regarder, elle demeurait immobile. Celui qui avait été son premier ami sur la planète Ectaïr rangea dans une de ses poches le petit vibratoire de gorge qui avait si longtemps déformé sa voix. Puis il la prit dans ses bras et la serra contre lui.

22

Les révélations
de maître Santus

Marsor scrutait le ciel. Depuis quelques minutes, les chasseurs avaient disparu. Chacun leur tour, les maîtres missionnaires se recouvraient promptement le visage de ce masque de soie ou de lin noir qui leur servait depuis si longtemps de rempart contre les indiscrétions du monde.

— La déesse te l'a dit, Sto : le temps est venu. Suis-nous sur Ésotéria. Tu es légitimement en droit de reconquérir la place et le titre qui t'ont été volés quand tu n'étais qu'un bébé.

Ces mots résonnaient dans la tête de la jeune fille comme si son crâne n'était plus qu'un dôme métallique vidé de toute substance.

Sur Delax, sous leur vévituvier, Solarion lui avait raconté l'histoire de cette petite fille du peuple qu'on avait choisie pour que, dans la tradition de la monarchie ésotérienne, elle devienne sa fiancée et, plus tard, la légitime impératrice de l'Empire d'Ésotéria. L'actuelle souveraine n'avait-elle pas été choisie de la sorte par les dieux et ramenée, bébé, au palais de Luminéa par les maîtres missionnaires ?

D'après Solarion, cette enfant, cette Pure, était morte lors d'un événement tragique. Ensuite, toujours selon le prince, les dieux l'avaient choisie, elle, Storine, comme étant la nouvelle Élue. « En somme, une Élue de remplacement. » Prise au dépourvu, elle chercha le regard de son père. Car une chose sonnait étrangement faux dans la révélation de Santus : se pouvait-il que les dieux aient choisi pour future impératrice la fille du pirate le plus recherché de l'espace ?

— Tu veux dire que j'ai été, moi, cette Pure, choisie pour devenir la promise de Solarion ? questionna-t-elle en avalant difficilement sa salive.

Marsor fit un signe de la main. Ils se retournèrent tous en même temps et virent avec stupeur une cinquantaine de soldats

portant les insignes de la phalange noire se déployer autour de leur campement.

— Ils ne pouvaient pas nous avoir avec l'artillerie lourde, alors ils vont essayer le corps à corps, expliqua Marsor en fronçant les sourcils.

Effrayés, les maîtres missionnaires s'agglutinèrent les uns contre les autres. Tous, sauf maître Santus.

— Je te sens déchirée par ce que je viens de te révéler, Sto. Le mystère de ta naissance s'effiloche sous le vent de la Vérité et, pourtant, il reste encore des zones grises.

Ignorant les soldats qui s'approchaient, elle le prit par les épaules, comme lui, jadis, sur la planète Ectaïr. Une seconde, elle hésita : comment s'adresser à lui ? Maître ? Santorin ? Santus ? Agacée, bouleversée, émue, elle ne s'était même pas aperçue que depuis quelques minutes, elle le tutoyait, comme jadis sur la planète Ectaïr. Malgré tout, cela lui faisait un drôle d'effet.

— Jamais le gouvernement ni le peuple n'accepteront la fille de Marsor le pirate comme future impératrice ! Par les cornes du Grand Centaure, allez-vous enfin me dire toute la vérité ! s'emporta-t-elle en le vouyoyant de nouveau.

Marsor remarqua que les soldats semblaient eux-mêmes enveloppés par un micro-
champ de force.

«Pour se protéger contre le glortex de
Griffo.»

Il prit Storine par un bras.

— Il faut partir, Sto. Maintenant.

Déjà, les soldats de la phalange encerclaient leur bouclier énergétique. Éridess ne
se le fit pas dire deux fois. Griffo lui-même,
ayant sans doute déjà lancé contre eux la
force de son glortex, se rendait compte de
l'inefficacité de son pouvoir et de la gravité
de la situation.

— Ésotéria, lui dit Santus-Santorin. C'est
là-bas que se trouvent toutes les réponses à
tes questions. Bébé, tu as vécu au palais de
Luminéa. Je le sais, j'y étais. Toi et Solarion,
vous formiez le plus beau couple d'enfants que
j'aie jamais vu ! Vous étiez toujours ensemble.
Vous vous adoriez ! L'impératrice t'aimait
comme sa propre petite-fille. Sto, écoute ce
que je te dis ! La Pure et l'Élue ne sont qu'une
seule et même personne, et c'est toi.

Les soldats commencèrent à ouvrir le feu.

Storine fixa son père.

— Notre bouclier ne tiendra plus longtemps, lui dit celui-ci.

Éridess la secoua :

— Il faut s'en aller, Sto ! Récite toutes les formules que tu veux, mais sors-nous de ce pétrin !

Lentement, l'esprit enfiévré par les dernières révélations de Santorin – elle avait choisi de l'appeler à nouveau ainsi – elle dégaina son sabre, l'alluma, puis elle traça dans le sable un grand triangle.

— Que tout le monde se regroupe à l'intérieur ! s'écria Éridess en y poussant deux maîtres missionnaires qui semblaient hésiter.

Marsor traîna dans le périmètre en question deux sacs contenant diverses affaires, tandis que les fusils laser des soldats commençaient à percer des brèches dans la protection énergétique.

« J'ai été choisie, bébé, pour être unie à Solarion, se disait Storine, son cœur battant à grands coups contre ses tempes. Je comprends, à présent, pourquoi Anastara me déteste tant. Ensuite, j'ai disparu au cours d'un "événement tragique", comme ils disent. Mais lequel ? Et tout le monde m'a crue morte… »

— Sto, je t'en prie, grouille-toi ! la pressa Éridess, blême de peur.

Ils entendaient clairement les clameurs de guerre des soldats. L'un d'entre eux hurla de joie quand il put enfin traverser la barrière ambrée. Il s'agissait de faire vite et, surtout, de ne pas bredouiller. Soulagée de sentir en elle la présence de la déesse, Storine prit Santorin par la main :

— Prenez-vous tous par la main et formez un cercle autour de Griffo !

Le temps qu'ils s'exécutent, trois soldats noirs les mettaient en joue.

— Ésotéria ! s'écria Storine à l'adresse de Santorin. J'accepte, mais ce sera à mes conditions !

Puis, sans lui laisser le temps de répliquer, elle prononça les deuxième et troisième formules de Vina :

— *Mâatos Siné Ouvouré Kosinar-Tari; Âmaris Outos Kamorth-Ta Ouvouré.*

L'air, autour d'eux, se troubla aussitôt.

Plusieurs maîtres missionnaires ressentirent dans leurs corps comme un effet d'accélération, mais ce n'était que les premières manifestations de la troisième formule.

« Ça y est, on décolle ! » se dit Éridess, soulagé, en voyant que son corps, qui n'existait déjà plus dans l'espace « normal », était transpercé par un rayon laser tiré presque à bout portant par un soldat aux traits déformés par la rage.

— *Mâatos Siné Ouvouré Kosinar-Tari ; Âmaris Outos Kamorth-Ta Ouvouré*, répéta Storine.

Éberlués, les soldats virent tout ce beau monde se fluidifier. Y avait-il un autre terme pour décrire des corps en train de disparaître dans un bouillonnement de lumière mauve ?

Obéissant à leur commandant, ils tiraient, tiraient, et leurs décharges mortelles passaient au travers de silhouettes de plus en plus diaphanes.

Peu à peu, la lumière mauve qui enveloppait les fugitifs s'intensifia jusqu'à ce que les soldats, incapables de garder les yeux ouverts, laissent tomber leurs armes pour se protéger de leurs bras. Lorsque la sourde vibration accompagnant la lumière diminua d'intensité à leurs oreilles, l'Élue, le lion et les maîtres missionnaires avaient disparu.

Le commandant en chef inspira profondément. La sueur perlait à son front. Malgré le fracas perpétuel de ces orages qui ne donnaient jamais au désert la moindre goutte de pluie, il faisait très chaud dans la plaine. Les mains moites d'angoisse, il demanda à un de ses hommes de lui apporter la petite plaque de communication holographique. Sachant que ce qu'il allait dire mettrait un terme à sa carrière militaire, il se plaça dans le champ de rayonnement de la plaque.

— Votre grâce, commença-t-il à l'adresse du grand chancelier Cyprian, l'Élue, ses amis, le lion blanc et les maîtres missionnaires nous ont échappé.

Il hésita, voulut dire autre chose, puis se ravisa.

Qu'y avait-il d'autre à ajouter ?

La bataille finale opposant l'Élue des dieux au grand chancelier allait se jouer au palais de Luminéa, sur les marches mêmes du trône impérial, et aucune force de l'Univers ne pourrait empêcher leur affrontement…

Lisez la suite dans le volume huit:

STORINE,
L'ORPHELINE DES ÉTOILES
VIII
Le procès des dieux

Après avoir accompli de nombreux miracles qui ont fait d'elle une célébrité interplanétaire, Storine est enfin parvenue à trouver la voie de sa destinée: personnifier l'Élue des prophéties. Quand Santus, son ami maître missionnaire, la persuade de venir se présenter devant l'impératrice Chrissabelle pour réclamer son titre de Pure, la jeune fille sent qu'un terrible piège va irrémédiablement se refermer sur elle. Et si les dieux, trop longtemps oubliés par les hommes, se servaient d'elle pour assouvir leur vengeance? Anxieuse, aussi, de retrouver le prince Solarion qui l'a jadis repoussée, Storine s'apprête à affronter sa plus périlleuse épreuve.

Publication prévue :
automne 2006

Également dans le volume huit :

- Assiste à l'entrée triomphale de Storine dans l'enceinte du palais impérial de Luminéa.
- Sois présent lors de la révélation complète du mystère de la naissance de Storine.
- Accompagne Storine et Solarion dans leur fugue à travers l'espace.

Écris à l'auteur à storine@sprint.ca et reçois gratuitement, par courriel, une image inédite de Storine et Solarion.

Index des personnages principaux

Shirf Shader*: colonel d'une phalange de gardes noirs.

Storine : dix-sept ans, notre jeune héroïne.

Syrd Dollon*: président des Sulnites.

Touméneb*: médium, artiste faisant partie de la troupe du cirque Tellarus.

Vikral El Nodour*: premier ministre bolikien.

Virso-Lam*: chef des Interdits.

* Nouveaux personnages.

Glossaire

Argonia : cité capitale du troisième rocher de l'archipel spatial d'Argonir.

Argonir : archipel d'astéroïdes colonisés par l'homme.

Bartha : étoile dorée de la planète Ébora.

Belta : étoile rouge de l'archipel d'Argonir.

Bolikiens : ethnie vivant sur la planète Ébora.

Boucouk : petit animal à trois pattes, geignard et poilu, originaire d'Ébora et qui produit un lait délicieux, clair et sucré.

Cirque Tellarus : une des troupes d'artistes de cirque les plus célèbres dans l'Empire d'Ésotéria.

Clameks : expression populaire en vigueur sur Argonir et désignant de l'argent.

Critone : station minière de l'espace.

Cyrgulem : fête annuelle de Cyrgulem, sur les rochers d'Argonir, à l'occasion de laquelle les citadins s'habillent en rouge.

Ébora : planète du système stellaire de Soleya.

Étanos : astéroïde exploité par la station *Critone*.

Formules de Vina : Adjarah: *Manourah Atis Kamarh-ta Ouvouré,* première formule, permettant à l'Élue d'entrer en contact avec la déesse Vina. **Dredjarah :** *Mâatos Siné Ouvouré Kosinar-Tari,* deuxième formule rendant possible à l'Élue le voyage interdimensionnel dans l'espace et le temps. **Ridjah :** *Âmaris Outos Kamorth-Ta Ouvouré,* troisième formule de Vina, qui confère à l'Élue une invulnérabilité temporaire. **Objah :** *Mokéna Siné Kosi Outranos,* quatrième formule de Vina, permettant à l'Élue de canaliser et d'exprimer l'énergie de guérison de la déesse.

Gésélomen : métropole religieuse et historique que se disputent Bolikiens et Sulnites.

Glortex : force télépathique des grands lions blancs d'Ectaïr.

Goroumos : fruit de couleur verte aussi gros qu'un pamplemousse et originaire de la planète Ébora.

Mnénotron : sorte de casque à visière tridimentionnelle et micro-ordinateur grâce auquel on peut avoir accès à diverses sources d'information.

Mol-technologie : technologie moléculaire permettant la transformation atomique des objets.

Mysto : météorite exploité par la station *Critone*.

Orex : nom de la monnaie officielle de l'Empire d'Ésotéria.

Roc Imperex : compagnie minière impériale exploitant la station *Critone*.

Sakem : livre sacré de la cosmogonie vinorienne transmis par le Grand Unificateur Érakos.

Sulnites : ethnie ennemie des Bolikiens, vivant sur la planète Ébora.

Ténédrah : signe de reconnaissance des fidèles du dieu Vinor.

Vitranium : verre blindé non traité et ultra-résistant utilisé dans l'exploitation minière.

TABLE DES MATIÈRES

Fredrick D'Anterny

Né à Nice, en France, Fredrick D'Anterny a vécu sa jeunesse sous le soleil de Provence. Amateur de grandes séries de science-fiction et de dessins animés japonais, il arrive au Québec à l'âge de dix-sept ans. Peu de temps après, il crée le personnage de Storine et travaille depuis plus de quinze ans sur cette série. Depuis peu, il a mis au monde une nouvelle héroïne, Éolia, princesse de lumière, à qui il fait vivre des aventures palpitantes.

COLLECTION CHACAL

ANNULÉ